Shove all knowledge into your head!

脳内メモリ最弱の僕が東大合格した

人生が変わる勉強法

横井佑丞
@yokko

実務教育出版

はじめに

僕は記憶が非常に苦手です。何度も書いているはずなのに実家の住所は覚えていませんし、自分の住所もあやふやになるときがあります。僕は家庭教師をしていますが、駅から家庭教師先の家までの道をなかなか覚えられません。半年経って、ようやくグーグルマップなしでたどり着けるようになるレベルです。毎週訪問しているのに…。

どうして、こんなに記憶力が悪いのだろう。

1つ、2つ思い当たることがあります。高校生の頃、柔道の授業で軽い脳しんとうを起こしたときに、脳のMRI（脳の断面図を画像で見るための検査）を受けることになりました。その検査結果を見た医師に言われたことは、「あなたには海馬がない」ということでした。海馬とは脳の中で記憶を司る部分です。診断を聞いた僕は、「海馬がないからこんなに記憶力が悪いのか」と、答えをもらったような気持ちでした。

ただ、それから数十年後、最近になって今も海馬がないのか気になり、再度ＭＲＩを受けてみると…、診断結果は「くも膜のう胞」というものでした。海馬近辺に脳がないように見える部分はありますが、実はそれは髄液で満たされた袋（これをくも膜のう胞と言います）とのことでした。脳の欠損はないが、この袋が脳内で場所を取っている分、袋に隣接している海馬が圧迫され、記憶能力に悪影響が出ている可能性は考えられるそうです。

自分の脳の構造が僕の記憶力にどれほど悪い影響を与えているかは正確にはわかりませんが、物事をすぐに忘れてしまうし、そのため、何かを覚えるためには人一倍労力が必要だという自覚症状はあります。

そんな僕ですが、中学生の頃から、強く東大に行きたいと思い始めました。中学受験で第一志望に合格できなかったのが悔しくて、大学受験でリベンジしたいと思っていたからです。そこには自分の才能の有無など関係ありませんでした。才能があろうがなかろうが、とにかく東大に合格したい。できるかできないかではなく、ただひたすらに、どうやったらできるかを考えていました。

毎日毎日、勉強法を改善しては、その勉強法をもとに大量に勉強し、また問題点を見つけては改善するということを繰り返しました。特に、いかに記憶を定着させるかということに腐心し、自分なりの解決策を見つけ、さらに洗練させていったのです。そんなことを数年続けていたら、高校2年生の頃には東大に合格する力が付いていました。過去問では合格点を出せるようになり、模試でもA判定以外とらなくなりました。

そして高校3年生になり、大学入試本番を迎え、僕は東京大学理科一類に現役合格しました。修士課程を修了し、大手コンサルティング会社のデロイト トーマツ コンサルティング合同会社でコンサルタントとして勤務した後、今は僕を育ててくれた中学受験界に恩返しするため、中学受験生向けの家庭教師をすると同時に、中学受験のさまざまな非効率を解決するｗｅｂサービス「スクマ！」の運営もしています。

２０２２年の年末、そんな話をYouTubeでする機会があり、思いのほか大きな反響を得て、動画の再生回数は１００万回を超えました。動画に対するコメントには、「勇気をもらった」「自分の努力がまだまだ甘いことを知れた」「この人の勉強法を知りたい」など、僕の勉強に対する取り組みに、興味を持ってくれていることが伝わってくるものが多かったです。

世の中には努力でどうにもならないことも確かに数多く存在します。でも勉強は違います。勉強は正しい努力をすれば誰しもが成果を出せます。でも成果を出せずに人生に嘆いている人が多いことを知りました。

それが、今回この本を書こうと思ったきっかけです。この本には、僕が勉強において工夫してきたことを、紙面が許す限り詰め込みました。暗記方法はもちろんのこと、大量の勉強時間を確保するためにモチベーションを維持する方法、計画の立て方、参考書の選び方、思考力の鍛え方などなど、僕の気づきをこれでもかというほどぎっしり書き連ねました。

だから、勉強の才能がないと嘆いている方、記憶力がないと嘆いている方にぜひ読んでいただきたいと思っています。読者の中には、自分には才能がないからと諦めてしまった夢をお持ちの方もいらっしゃるかもしれません。でももし、それが勉強することで達成できる夢であれば、まだ諦めないでください。

この本に書いてあることを参考に、ご自身の勉強法を改善し、また勉強に、自分のやりたいことに、チャレンジしてみてほしいと思います。勉強において特別な才能がなくても、勉強法を工夫すれば、好きな知識・スキルをものにできることを感じて、人生を豊かにしていくことを願っています。

横井　佑丞

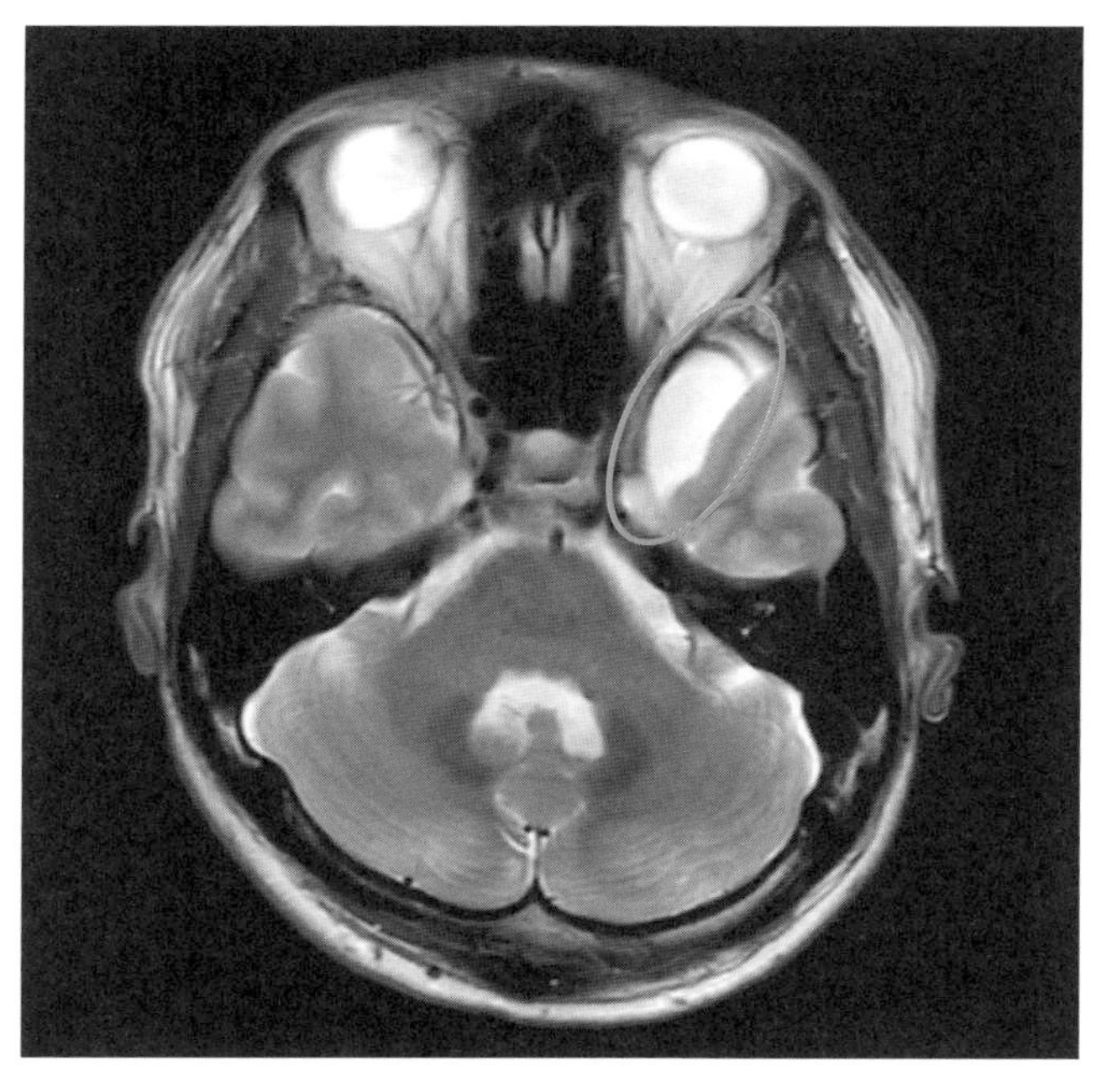

僕の脳の断面。青いマルで囲んだ白い部分が「くも膜のう胞」です。
記憶を司る海馬の周辺を圧迫していることが、
僕の記憶力の弱さと関係があるかもしれません…。

Contents

第3章
ジャンル別 勉強テクニック

第4章 勉強は人生を変えるコスパ最強の手段

第1章

暗記が苦手でも、勉強で勝てることを証明したい

勉強で成果が出ない理由は「努力の方法」を間違えているから

◆第二志望にも落ちた中学受験

また、明日から頑張ろうね。

僕が中学受験生のとき、よく母からかけられていた言葉です。僕は中学受験時代、大量に勉強しているにも関わらず、一向に成績は上向かず、塾のテスト後にはいつも落ち込んでいました。僕がずっと勉強していることを知っていた母は、どうにかして僕の成績を上げてあげたかったと思います。でもこれ以上何をすればいいのか、母にもわかりません。けれど、とにかく目の前で落ち込んでいる僕を励まそうとして、やっと出てきた言葉がこの言葉だったのでしょう。

当時、僕自身も何をすれば成績が良くなるのかまったくわかりませんでした。悪い成績を取るごとに勉強時間を増やし、本当に毎日、朝から晩まで休むことなく勉強を続けていました。塾からもらった問題集を全部解き、塾の教科書も隅から隅まで何度も読み通し、時には小学生ながら深夜まで勉強して、気づいたら机の上で鉛筆を握ったまま寝ている、なんてことはざらにありました。

「これだけやっているのに…」ライバルとの差は縮まるどころか、むしろ徐々に広がっていきます。「どうして成績が伸びないんだろう。もうこれ以上、体力的に勉強時間は増やせない。ここが、この成績が、僕の才能の限界なのかな…」いつもそんな思いが心の中にありました。

状況は一向に改善しないまま、入試本番を迎えます。第一志望の灘中学の入試は惨敗。第二志望の東大寺学園中学も不合格。第三志望の洛南中学にやっと拾ってもらえました。

僕はこの結果が悔しくて悔しくて仕方がありませんでした。誰に強制されたわけでもなく、自分の意志で勉強して勉強して限界まで勉強しまくって、**勉強時間だけなら小学生としては日本一じゃないかと思うほどに勉強したにも関わらず、第一志望にはまったく手が届きませんでした。**

僕は完全に自信を失い、中学受験が終わった後の3月は茫然自失。何も考えられませんでした。

◆日本一の勉強法を徹底的に盗む

洛南中学に入学してクラス名簿を見た瞬間に驚きました。中学受験の模試で全国トップ10常連、全国1位にもなったことのある人が同じクラスにいたのです。この本では彼をA君と呼びます。

幸運なことに、僕はA君と席が隣になり、急速に仲良くなっていきました。

A君は中学受験時代、模試の成績上位者の名前が書かれた冊子に、いつも名前が掲載されていました。それも表紙に、大きく。当時の僕にはその名前が輝いて見えました。「この子はいつも全国1桁だな、すごいなぁ」と、ため息まじりに憧れて名前を見ていました。でも今、その実物が隣にいるのです。いやがおうにも、彼の一挙手一投足が気になり見てしまいます。彼のノートはもちろんのこと、授業の聞き方や、教科書の使い方までつぶさに見ていました。すると、彼と自分との違いがどんどん鮮明になり、自分とはまったく違う勉強法をしていることがわかったのです。**僕と彼との最大の違いは、才能ではなく勉強法にあるんじゃないかと思うようになっていきました。**

そこで僕は**彼の勉強法を徹底的に盗む**ことにしました。まず、彼はノートの取り方が違っていました。大事な部分はピンクのペンで書き、赤シートで隠せるようになっていました。それに何やらピンクの文字の部分に印が付いていました。聞けば、暗記するときに、覚えられていなかった箇所に印を付けて、覚えにくいところを明らかにして重点的に繰り返すのだそうです。

さらに、彼は学校から配られた問題集以外の参考書や問題集を本屋で買って、休み時間に取り組んでいました。学校の授業だけではわからない所を調べたり、授業では扱われない問題を解くとのことでした。彼の各科目への深い理解はここから来るのかと感心したものです。

彼とは帰宅方向が同じで、よく同じ電車で帰りました。彼は電車に乗るとすぐに参考書やノートを開き勉強していたので、僕もつられて、電車内で一緒に勉強に励みました。だから帰りの電車では、一緒に帰っているのにあまり会話はありません。2人とも集中して勉強し続け、中学生らしい楽しいコミュニケーションと言えば、降りる間際に少しとりとめもない話をする程度。でも僕にとっては、彼と一緒に無言で勉強する時間こそが、最高のコミュニケーションだったのです。

僕は本当に彼の勉強法を盗みに盗みました。ノートの覚えるべき言葉はピンクの文字で書くようになったし、覚えにくいところを重点的に繰り返す習慣もつきました。学校の授業だけでは理解が薄くなってしまうところを補うべく、最適な本を探しに本屋に行くことも多くなりました。そして勉強時間を確保するためにいろんなスキマ時間を大切にすることはもちろんのこと、勉強中の集中力、勉強の密度も気にするようになりました。

A君の勉強法をマネすることから始まった僕の勉強法改革ですが、自分に最適なものになるよう少しずつ改善を繰り返し、独自の方法も色々加えていきました。そんな勉強をしばらく続けていると、気づけば僕は学年3位になっていました。2位はA君。1位には不動の帝王がいました。

実は、僕は最後までA君を抜くことはできませんでした。ですが、**中学受験で日本一を取った**

こともあるA君と、かなり近いところまで学力を伸ばせたことは、自分としても驚くべきことでした。中学受験時代は全国トップ10の人達なんて雲の上、宇宙の存在のように仰ぎ見ていた自分が、今では彼らと同等の学力を手にしている。その事実は大きな自信になり、**勉強は、やり方を極めることで全国レベルの成果だって得られる！**と、確信を持つようになりました。

◆ 中学受験での敗因は何だったのか

今思えば、**中学受験のときは本当に非効率な勉強をしていた**と思います。ただ長いだけの勉強時間。眠い状態でいくらやっても、それは自己満足の行為であって、当然、勉強時間に見合う成果は得られません。まず考えるべきことは、集中力の高い勉強時間をどうやって増やすかでした。

それに、塾に言われるがまま、塾から与えられた問題をやっていたのも良くありませんでした。今の自分に必要な問題というのは、自分にしかわかりません。何が自分には足りないかよく考えて、本当に必要な問題を自分で選び、必要な数取り組むべきでした。

加えて、暗記作業の手を抜いていたのも良くありませんでした。暗記は非常に苦手だったから、とりあえずノートや教科書を何度も読んだりしていましたが、それでは本当に頭に入ったかなんてわかりません。記憶の定着のために、もっと長期スパンで反復学習を計画すべきだったし、繰り返しのタイミングや回数も最適化する必要がありました。そのうえ、知識が自分の頭にしっかり入ったことを確認する作業も怠っていました。

これでは勉強時間の割に身に付くものが少なくて当然です。今思い出すだけでも改善点がたくさん出てくるので、実際に勉強していた当時、勉強法をもっと真剣に考えていたら改善点はいくらでも見つけられただろうと思います。そうすれば、結果も違ったものになったかもしれません。

◆勉強の前に「勉強法」を学ぶことの重要性

これだけ勉強法にこだわってきた僕だから、家庭教師をしていると、**ほとんどの生徒の勉強法にはまだまだ改善点がある**と感じます。

例えばよくあるのが、暗記モノについて、読んで終わり、あるいは書いて終わり、という作業で満足していること。これでは何回読んだり書いたりしても大した効果は上がらないでしょう。

そういう生徒がかかえる問題点は大きく2つあります。「覚えられたということを客観的に確かめていないこと」と、「自分の暗記作業でどれくらいの期間、記憶が保持されるかを確かめていないこと」です（詳しくは第2章で説明します）。

そういう生徒に限って、「僕は覚えるのが苦手なので、暗記科目は無理なんです」と言います。

でも僕がそばについて、僕の暗記作業を一緒にすると、バッチリ覚えられてしまうのです。こういう経験を通して、**覚えるのが苦手だという人は、素質が足りないのではなく、正しい暗記作業をしていないだけ**だとわかりました。そして、暗記だけに限らず、勉強が苦手だという人は、正しい勉強法を実践していないだけなのです。

勉強は、正しい方法で取り組めば確実に成果を上げられる筋トレのようなものです。大人も子供も実践できる、勉強における正しい努力の仕方をこの本でお伝えしたいと思います。ただ、それはお手軽に勉強の成果を上げる方法ではありません。凡人にとって、そんな魔法のようなものは存在しないと思っています。僕がお伝えするのは、やればやった分だけ確実に成果の上がる勉強法です。大きな成果を上げるためには、ある程度の勉強時間は絶対に必要ですが、この本では勉強時間を確保するための考え方も説明していますので、ぜひ参考にしていただきたいと思います。

POINT

勉強を始める前に、正しい勉強法を身に付けよう。たとえこれまで勉強で成果が出ていなくても、正しい勉強法を身に付ければ、飛躍的に知識・スキルを身に付け、成果を出すことができる。

努力が足りない人ほど地頭の話に逃げる

◆努力をしない自分への言い訳をやめよう

精一杯努力する前に、早々に諦めてしまってはいないでしょうか。親の学歴が低いから自分も頭が悪いんだ。家族みんな文系だから自分には理系的な勉強は合わない。そろばんを習っていないから計算が遅い…などなど。

言葉にしなくても内心そんなことを思っている人は大勢いるでしょう。そういう人に対して、正しい勉強法で勉強すれば望む結果が得られるという話をすると、それは頭の良い人の話だと反論するかもしれません。

でも、地頭が良く何でもすぐに吸収できるように見えるあの人が、実はあなたの知らないところで、毎日努力しているとしたら？ あなたもそれと同等の努力をすれば、同じような結果を得られるとしたら？

僕がYouTubeに出演した後、動画を見てくれた大学の同級生と飲む機会があって、こんなことを言われました。「お前はただの天才だと思っていたよ。本当は東大在学中も超勉強してたんだね」その通りです。僕は超勉強していました。

僕は東大在学中、同級生達のために、とある授業の試験対策プリントを作成し、そのできが授業よりもわかりやすいということで、神プリントだと言われていました。そんなプリントを作成できるくらいだから、もちろん僕はテストでも高得点を取り、同級生は僕のことを非常に理解の速い優秀な人物と思ったようです。でも実際は、僕は授業でわからないところは、専門書で調べるなどして、おそらくほかの人よりもかなりの時間を割いて勉強に取り組んでいました。

だからと言って、その努力を他人にペラペラ話そうとは思いません。聞かれてもいないのに、俺はこんな努力をしたから良い点なんだぞと言う人は、あまり好感を持たれないでしょう。いや、たとえ聞かれたとしても、事細かに努力の内容を伝えない人が大半なのではないでしょうか。説明するのは単純に面倒だし、あまり努力せずに良い結果を出していると思われたほうが格好良い、と考える人もいるでしょう。

こんなことはどこにでも起きていると思います。「勉強してないしてない」と言いながら、好成績を取り、「いや、俺はマジで勉強してないから」と言う人を、あなたも知っているのではないでしょうか。それはほぼ確実に嘘です！　**あなたの知人が楽に結果を出しているように見えた**

としても、それはそう見えるだけで、影で多大な努力をしている可能性が高いのです。

そうは言っても、確かに、あなたの地頭が本当に悪くて、正しい勉強法でどれだけ勉強しても知識が身に付かないということはあると思います。でも正しい方法で精一杯やってもいないのに、自分の地頭が悪いことなんて、どうやってわかるというのでしょう。

やればできるかもしれないのに、できないと決めつけ、努力しないことを正当化する。今日なまけている自分に言い訳をして、少しの安心を得ようとする。これは地頭の話に逃げているということです。

◆地頭のせいなのか確かめる唯一の方法

地頭が悪いせいで勉強できないのか確かめる方法は1つしかありません。**正しい方法で、しっかり勉強時間を確保して勉強をやり切ってみる**ことです。勉強について一度、完璧主義者になってみてください。やる気の出し方、時間の使い方、記憶・思考の仕方のような全般的な勉強法から、英語や数学、資格勉強など、今取り組んでいる分野特有の勉強法まで、細部までこだわって自分の限界までやってみることです。

それでも全然成績が上がらない、知識が身に付かない、となったときに初めて、自分は地頭が悪いんだ、だから成果が出ないんだと思って良いのです。少なくとも僕の周りでは、地頭が悪いと嘆いていた人たちには、まだまだ努力や工夫の余地がありました。

僕には兄がいて、素質としては、ほとんどのことで兄に劣っていたと思います。かけっこ、水泳、ピアノ、暗記…、本当に多くのことで兄のほうが良い結果を残していました。暗記なんてもう絶望的な差がありました。兄は特に記憶力が良かったのです。すぐに覚えられるし、忘れにくい。兄弟で昔話になると、兄だけ覚えていて、僕はまったく覚えていないなんてことはよくありました。だから、学力も兄のほうが高かったのです。最初は。

僕たち兄弟は小学校低学年くらいまで、親の方針で毎朝1時間勉強することになっていました。僕は毎日欠かさず真面目に取り組み、兄は時々サボっていました。すると、不思議なことが起きました。**あれだけ才能に差があったはずなのに、ある時から僕のほうが問題集をスラスラ解けるようになっていき、模試でも良い成績を出すようになった**のです。

これは僕にとって大きな発見になりました。自分には勉強の才能がないと思っていたが、0ではない。そしてコツコツ続ければ才能ある人にも勝てるんだ、と。

「いや、私は精一杯勉強したけど、それでも伸びなかったんだよ」という方は、この本を通してまだやれることはないか振り返ってみてください。書いてあることの一つ一つは、とても細かいことに思えるかもしれませんが、その積み重ねが驚くほどの成果をもたらします。

◆勉強の世界では99・9%の人は凡人

僕の経験上、こと勉強においては、99・9%の人の能力には大差がないと思っています。確かに、生まれつき頭がとても良い人は存在します。小学生ながら大学まで飛び級する人や、東大生の中でも選りすぐりの頭脳を持つ「東大王」レベルの方々など。でもそんな人は1000人に1人程度ということです。

僕の中高は有名な進学校だったから、1回読んだだけで教科書を覚えられるとか、公式を覚えるだけで難関大入試レベルの応用問題まで解けるようになるといった、決して真似できないレベルの驚異的なIQの持ち主は確かにいました。でも学年に2人です。関西有数の進学校で、勉強のできる人間ばかりが集められた集団500人の中でたった2人です。普通の母集団から考えれば、1000人に1人という数字があながち大げさではないことは、想像がつくでしょう。

それ以外の人は多少の優劣はあれ、才能はどんぐりの背比べです。それでも東大に入れます。だから大抵の場合、勉強の成果に大きな影響を与えるのは才能ではなく、勉強法と勉強量です。

次の項で詳しく述べますが、僕自身は物覚えが悪く、１つのことを覚えるのにほかの人の何倍も時間がかかります。それでも天才たちと互角に戦えました。自分なりに工夫に工夫を重ねたからです。中学受験で第一志望に落ちてから、勉強法を工夫することの大切さを痛感し、それから日々少しずつ少しずつ改善を続けてきました。そうすると、勉強では全国レベルで戦えるようになったし、今でも英語やプログラミングなどいろんなスキルを思い通りに身に付けられるようになりました。

才能がないと嘆いている間に、もっともっとやれることはあります。勉強法をチューニングし、やる気を高く保って全力で勉強すれば、自分の可能性をどんどん広げていけるはずです。

POINT

地頭の良し悪しは全力でやり切ってからでないとわからない。まだ勉強法に工夫ができないか考え、完全にやり切ったと言えるまでやってみよう。その際はこの本も大いに参考にしてほしい。

僕の記憶力にまつわるエピソード

◆記憶力の悪さには自覚があった

昔から暗記は苦手でした。家族で昔話をしていても、僕だけ覚えていないことが多々あります。「○○に行ったときに、佑丞がこんなことをしていたね」みたいな話をされても、そこに行ったことすら覚えていないので、まったく話についていけないのです。

それに勉強面でも暗記分野のできは悪かったです。何回も繰り返さないと覚えられないのが面倒で、つらくてやりませんでした。中学受験のときは、社会は全然できず、理科の暗記分野も嫌い。それが入試本番で東大寺学園に落ちた大きな原因でした。社会が壊滅的だったのです。

でも中学に入ってからは、その反省を活かし、自分なりに暗記の仕方を試行錯誤して、頭にしっかり残る方法を確立し、暗記科目も高得点を取れるようになりました。それでも大量の勉強時間が必要でした。毎日、家では部屋でもトイレでも風呂でもずっと勉強。通学のために歩いているときも、電車に乗っているときも勉強。学校の休み時間にも、もちろん勉強していました。

そんなことを繰り返していると、さすがにつらくなるときもあります。そこでふと疑問に思うことがありました。僕と同じような成績の人達は、本当にこんなに勉強しているのだろうか、と。

そんなある日、学年5位の友達に、勉強法を尋ねられました。僕がありのままを教えると、勉強法についても、勉強量についても、そんなに突き詰めて勉強しているのかと驚かれました。でも逆に、僕からすると、君はここまでやり切らなくても5位なのかというのが驚きでした。

そのときから、「そうだよな、自分ほど勉強に真剣に取り組んでいる人はそういないよな」と納得すると同時に、「自分はどうしてこんなに勉強しないと覚えられないんだ」と疑問が出てきました。

◆ある日突然知らされた脳の欠陥？

そんな日々が続いていたある日のこと、高校で柔道の授業があって、僕は勢いよく畳に叩きつけられ、頭を強く打ってしまいました。柔道の授業が終わってもしばらくクラクラしていたので、念のため、病院で検査してもらうことに。両親と病院に行き、脳のMRIを受けることになりました。MRIとは、脳の断面図を画像で見るための検査です。

そのときの診断結果は「僕の脳に海馬がない」というものでした。

僕は海馬が記憶を司るところだと知っていたから、お医者さんに「え、じゃあ僕は記憶ができないんですか」と聞くと、お医者さんは、「いや、本来海馬がある場所の周辺の部位が、海馬の機能を代替するから大丈夫だよ」と、おっしゃってくれました。ただ、僕は自分の記憶力の悪さに、１つの原因を見つけた気がして、妙に納得していました。確かに日常生活で困るほどの支障はないけれど、やっぱり記憶能力には影響が出ているのかな…、何度も何度も暗記作業を繰り返さないと覚えられないのは、このせいなのかな…と。

海馬がないと告げられた僕は、地頭の良い人達と競うには多くの努力が必要だと思いました。でも逆に言えば、たくさん勉強し、効果的な勉強法を極めれば、彼らと対等に戦えるということです。だから、苦しいときでも、素質のない者が素質ある者に勝つには、勉強量が必要なんだと自分に言い聞かせながら、勉強を続けました。そして中学に入ったときの目標であった、東大現役合格を達成できました。

大学卒業後も、仕事で必要になるとわかれば英語の勉強をしたり、プログラミングの勉強をしたり、平均的に毎日数時間勉強し続けていました。そうやって、スキルを一つ一つ、仕事で使えるレベルまで鍛え上げていきました。一般的な人よりも、人生の中で大量の時間を勉強に費やしてきたと思います。

◆本の出版が決まり、再度検査してみたら…

そんな話をYouTubeで話したところ、「海馬がなく記憶力が弱すぎるのに、大量の勉強時間で克服した」というインパクトの大きさから、１００万回以上再生され、出版のご依頼も頂き、この本を書くことになりました。ただ、動画を見ていただいた多くの方がご購入すると予想されたため、出版するのであれば、そのインパクトの根幹である「海馬がない」ということが、今でも変わらない事実だということを確かめなくてはいけないと思い、今一度ＭＲＩ検査を受けることにしました。

その結果…。今回の診断では、なんと海馬があったのです。「はじめに」でも述べたように、脳がないように見える部分は、実は「くも膜のう胞」という髄液で満たされた袋でした。脳の欠損はないが、この袋が脳内で場所をとっている分、袋に隣接している海馬が圧迫されて記憶能力に悪影響が出ている可能性は考えられるという話でした。

これまで20年以上自分の海馬がないと思っていたので、この検査結果は僕にとって本当に驚きでした。昔の診断は両親と一緒に聞いたので、海馬がないと告げられたのは間違いないですが、そのときは本当に海馬がなかったのか、医師の見落としだったのか、あるいは、診察時に医師とのコミュニケーションで何か問題があったのか、今となっては確認しようもありません。

僕はこの新しい診断を聞いて、海馬があることに喜ぶ一方で、この本を出版するかは本当に悩みに悩んで、一旦は出版を取りやめようかと思いました。ですが、僕が記憶が苦手なことは事実です。そんな僕が悪戦苦闘しながら作り上げた記憶方法や、大量の勉強時間を確保するための方法は、記憶や勉強そのものを苦手とする方々の一助になると思い、出版することに決めました。

読者の皆さんが着実に学力を向上できるように、フワッとしたコンセプトや精神論にとどまらず、明日から実践できるような具体的な方法を、惜しむことなく書きました。海馬がない僕という表面上のインパクトはなくなりましたが、肝心の中身は本物の勉強法を書き切れたという自負はあります。どうか最後までじっくり読んで、確実に成果の出る勉強法を身に付けていただきたいと願っています。

POINT

昔の検査では海馬がないと告げられたが、直近の検査では「くも膜のう胞」と診断され海馬はあった。だが僕の記憶力が弱いのは変わらない。この本では、そんな記憶力の弱い僕でも着実に勉強で成果を上げてきた方法を具体的に書いた。最後までじっくり読んでいただければ、読者の勉強のレベルが上がると確信している。

今勉強が苦手でも、成績上位10％に入ることはできる

それでは、具体的な勉強法の話に入る前に、今勉強が苦手でも、勉強法次第で、自分が所属する集団の上位10％の成果を出すことはできるという話で第1章を締めくくりたいと思います。これが机上の空論ではなく現実的だということを、僕が指導した生徒を例に取って話します。子供の話ではありますが、そのエッセンスは大人にも役立つものだと思います。

◆ある中学生N君の場合

僕が家庭教師として指導することになった中学生N君は、僕が教え始めたときは学年約200人中150位くらいと、勉強がうまくいっているとは言えない状態でした。でも教え始めるとすぐに原因がわかりました。身もふたもありませんがまったく勉強しません。宿題を出してもまったくやらないのがデフォルトです。だから、僕が教え始めても、しばらく成績は横ばいでした。でもあるときから、「勉強したいのに、勉強嫌いの弱い自分に負けてしまいます。どうしたら良いですか」という前向きな相談をしてくれるようになりました。その理由ははっきりとはわかりませんが、思春期の子供は友達から影響を受けやすいから、友達から何か良い影響をもらったのかもしれません。

それはさておき、自分からなんとかしたいという意志さえ持ってくれればこっちのもの。勉強したくない気持ちに勝つ方法を色々教えました。**この子の素晴らしかったところは、本当に素直だったということ**です。例えば、学校から帰ってダラダラする時間をなくすため、帰ったら制服のまますぐ机に座ろうと提案しました。すると、次の週に僕が指導に行ったときには、本当に制服のまま机で勉強していました。そんなふうに勉強時間が増えると、当然成績もぐんぐん上がり、50位になるのは早かったです。そこからは暗記の仕方やテキストの繰り返しの仕方を改善しました。彼の元々の暗記作業では、テキストに何の書き込みもせず、どこを間違ったのかチェックさえしていませんでした。この作業を試験までに単純に最初から最後まで3周しているとのことで、非常に効率の悪い周回作業になっていたのです。そこで、覚えにくいところを重点的に繰り返すこと、そのタイミングも最適化することなど、理想的な暗記作業を細かく教えました。それらを一つ一つ身に付けていくことで、最終的には学年20位以内をキープするまでに成長。この中学生はとてもうまくいった例です。

✦ある中学受験生T君の場合

でもそんな素直な生徒ばかりではありません。ほかにはこんな生徒がいました。小学6年の中学受験生で、僕が教え始めた頃は、偏差値が45くらいで、志望校の偏差値は65。ご依頼いただいたのが夏頃だったので、半年で偏差値を20上げてほしいというご依頼です。その子を少し教えると、これは正直、かなり無謀な挑戦だと感じました。算数は得意で偏差値は60あるものの、社会や理科の生物などの暗記範囲は壊滅的でした。そして何より、本人にやる気がまったくありません。

ひとまず暗記分野がこんなに壊滅的では偏差値65なんて夢のまた夢なので、暗記分野を固めることにし、一緒に暗記作業をしました。僕と一緒に暗記作業をすると、その範囲はしっかり覚えられるのですが、「じゃあ、同じ作業で来週までにここを覚えておいてね」と伝え、次の週確認すると、まったく覚えていません。「同じようにやったけど覚えられない」と言います。しかし、その子が暗記したというテキストの範囲を見るとまっさらなまま。僕の暗記方法はテキストに色々な印をつけます。だから同じ作業をやったのであれば何も印が付いていないのはおかしいのです。**教えた暗記作業をせず、楽をしたのは明白でした。それで、その範囲を僕と覚え直すと、やっぱりしっかり覚えられる。でも一人でやらせると、また教えた暗記作業をせず覚えられない。**

楽してしまう気持ちもわからなくはないのです。頭に入りにくいものを頭に入れる作業というのはとても面倒に感じます。その面倒さは僕も痛いほどわかります。わかるのだけれど、それを乗り越えて取り組まないと覚えることはできないのが厳しい現実です。

でも、3ヵ月たっても、その子が自分一人で僕の暗記作業をすることはありませんでした。知識はほとんど増えず、成績もほぼ伸びていません。それなのに入試はそこまで迫ってきています。仕方ないので、僕がほぼ毎日数時間、暗記作業を一緒にすることにしました。「ほら、ちゃんとやれば覚えられるのに…。いつか自分一人でもできるようになってくれよ…」と思いながら。

入試1ヶ月前くらいになって、ようやく暗記範囲が仕上がってきました。過去問でも、合格点には届かないが近い点数が出るようになって、もしかすると受かるかも…と思えるレベルになりました。結局、過去問では一度も合格点を取ることはできませんでしたが、それでもその子の強い希望で志望校を変えることなく受験しました。結果はなんと合格。奇跡的でした。

◆楽をしたがる自分に打ち勝とう

この2人の例でお伝えしたいことは、**今あなたがどんなに勉強が苦手だろうとも、きちんとした勉強法で取り組めば、自分がいる集団の中で上位10%に入ることは現実的だ**ということです。

そしてそのためには、勉強をなんとかしたいという意志は必要だということです。N君もT君も、素質としてはごく普通の子でした。平均より優れている能力もあれば劣っている能力もある。でも、どの能力も目を見張るほど優れているわけでもないし、致命的なほど劣っているわけでもない。僕の知る限り、ほとんどの人が素質的にはこの2人と同じ状態です。そんな人でも、それなりの勉強量と、しっかりした勉強法で取り組めば上位10％の結果を出せることを、この2人は証明してくれています。自分の所属する集団のレベルが高い場合でも、その集団に所属できる程度の素質はあるということだから、上位10％に入ることは十分現実的だと思います。

しかし、取り組むべき勉強法には、面倒な作業が混じっていることは確かです。実のところ、この2人のように非常にうまくいくことは、そんなに多くありません。というのも、**せっかく良い勉強法を教えても、面倒くさがってやらない人が多い**のです。

「先生のやり方を自分に合うようにアレンジしました」と言うのだけれど、よく聞くとただ楽をしているだけです。自分に最適化するのはもちろん良いことで、むしろ必須でもあります。ですが、その目的が本当に最適化なのか、楽したいだけなのかはよく自問してほしいと思います。

やれば結果は出ます。だから**楽に流れようとする自分に頑張って打ち勝ってください。**そのためのヒントもたくさんお伝えします。

POINT

勉強が苦手でも、勉強法を改善することで、自分が所属する集団内の上位10％に入ることはできる。楽なことばかりではないが、自分のやる気を出すための工夫も身に付けて、弱い自分に打ち勝っていこう。

第2章

「忘れっぽい脳」を根負けさせる勉強法

参考書や問題集選びには時間をかける価値がある

◆良著は家と同じくらいの経済的価値がある

僕が何かを勉強するときには、参考書や問題集を買うために必ず本屋に行きます。昨今はさまざまなことをオンライン講座で学べるようになりましたが、ある1つのことについて、細かいところまで網羅的に知りたいという場合は、現在のところ、本に勝る教材はないように思います。

本を買う場合、今どきはオンラインショッピングで買えるし、電子書籍をダウンロードするという手もあるから、わざわざ本屋に行くのは面倒臭いと思う人はいるでしょう。ショッピングサイトのレビューを読めば、それが良著かどうか大体わかるし…と。

しかし当然ですが、ネットでは購入前に肝心の中身を見ることはできません。そこで考えていただきたいのですが、**あなたの人生を左右するくらい大事なものを買うときに、中身を見ずに買うでしょうか。**例えば家を買うときに、中を見ずに、外観と不動産会社からのコメントだけで買うことを決めるでしょうか。そんな人はほぼいないでしょう。

本を家と比べるのは大げさと思うかもしれませんが、僕の考えとしては全然大げさではありません。取り組む参考書や問題集によって、あなたが目標を達成できるかどうかが決まります。資格試験の合否が決まります。高い水準のスキルを身に付けられるかが決まります。大学受験の合否が決まります。

僕は大学受験の勉強だけではなく、英語やプログラミング、ロジカルシンキングなど色々なスキルを本によって身に付けたので、その過程でたくさんの失敗もしてきました。効果の出ない本に取り組んで、長い時間勉強したのに大した学力・スキルが身に付かないこともありました。一方で、別の本に取り組んでみると、スルスルと知識が頭に入ってきて、自分でも驚くほど知識が身に付いたこともありました。そんなことから、取り組む本の大事さを痛感したので、こだわりにこだわって良著を探して取り組むようにすると、メキメキと自分に力が付くことを実感しました。良い本に出会わなければ、東大合格を始め、色々なスキルの習得などは到底達成できなかっただろうと思います。どの本に取り組むかによって、成功・失敗の運命が分かれるのです。**良い資格やスキルを身に付け、就職・転職に活かせば、生涯賃金が数千万円、さらには億単位で変わることはよくある話**です。大学受験でも、１つ上のランクの学校に行けば、人生の可能性は大きく変わります。そう考えると、良著を見つけ出すことは、良い家を買うと同等、またはそれ以上の価値があると言えます。そんな大事な運命の鍵を握っている参考書や問題集を、中身も見ずに軽々しく選ぶことはできないはずです。

◆他人に決めてもらわず、自分が見て、自分の考えで選ぶ

参考書や問題集を選ぶときに、絶対にやってはいけないことは、他人におすすめされたからやる、他人が使っているから自分も使う、という選び方です。ここで言う他人とは、文字通り自分以外のすべての人であり、ネットの評判はもちろん、友人、先生、親なども含みます。勉強で結果を出している友達におすすめの本を聞いてアドバイス通りの本を買う。先生におすすめされた本を買う。自分が勉強に自信を持てない間は、こんな風に他人のアドバイスに頼りたくなる気持ちはわかります。でも大抵の場合、その人はあなたの現在の知識量や理解度、飲み込みの早さといった能力を正確には把握していないし、その人とあなたとでは、どういうデザインや説明をわ

かりやすいと感じるかの感性も違います。このように、本選びには、能力以外にも、あなたの感性に合うかという要素がどうしても入ってきます。本をおすすめしてくれる人が、あなたの能力を高精度で推測できたとしても、あなたの感性をあなた以上にわかることはまずないでしょう。

結局、**自分に合う本は自分にしかわからない**のです。とはいえ、僕もライバル視していたA君が使っていた本に取り組んだことがあります。そのおかげで、自分の成績を大きく変えるような良著に出会えたこともあります。しかし一方で、デザインや説明の仕方が自分には合わず、なかなか頭に入ってこない本もありました。だからこそ、自分に最適な本を自分で選ぶことの大切さを痛感したのです。もちろん、**他人のアドバイスや他人が取り組んでいる本を参考にするのは良いこと**です。本を選ぶときに、「あいつが取り組んでいるのはこの本だな。どれどれ…」と。**でも、その本を採用するかどうかは、知人がやっているからという要素は完全に排除して、自分に合うかどうかで選ぶ**のが大切です。

◆真・参考書マニアになろう

勉強に取り組むときに「参考書マニアになるな」と言われることがあります。いろんな参考書を買い漁って、買って満足してしまい、本棚は参考書だらけ。なのに、全然その中身が身に付いていない人を揶揄する言葉だと思います。

確かに、そういう「ダメ参考書マニア」になってはいけませんが、僕自身は別の意味で参考書マニアでした。取り組む参考書・問題集の大切さを痛感してからは、何かスキルを身に付けたいと思ったら、まずは**紀伊國屋書店やジュンク堂書店などの大型本屋に何時間も滞在する**ようになりました。僕が中高生の頃は、今のようにインターネットに参考書や問題集の情報は落ちていなかったから、ひとまず本屋に行って実物を読みました。今はインターネットを調べれば色々な情報が落ちているので、インターネットでその分野の本を調べてから本屋に行きますが、それでもインターネットの情報は参考程度です。インターネットを利用する目的は、高評価の本を探すためではなく、その分野の本を一覧化して、見落としがないようにするためです。

本屋に着いてからは、**その分野の本をすべて確認します。**すべてと言っても、大抵の場合、数はそんなに多くありません。20冊を超えることはまれです。でも、それだけの冊数をじっくり吟味するとなると、数時間はかかります。ジャンルにもよりますが、**僕は1~2冊の参考書や問題集を選ぶのに、4時間くらいかけます。**本の選び方は次項以降で詳しく述べますが、すべての本を軽く読み、候補になりそうな本があったら、「これは○○まで詳しく説明されているが、単色で見づらい」などのように、その良いところ・悪いところをメモします。そうしてピックアップした候補の中から、メモを見ながら3~4冊に絞り、そこからはそれらの本の内容をじっくり読み比べて、今の自分に最適な本を選びます。社会人や学生の方でも休日を使えばできると思います。何日かに分けて選んでも良いと思います。今日はひとまず3～4冊まで絞ってから、別の日にその中から実際に買う本を選ぶ、というように。

そうすると、本を選ぶだけで数週間かかることもあります。でも、**これだけ時間をかけても、勉強時間と合わせて考えれば、時間の節約になっています。**というのも、自分に合わない本で勉強するのと、自分に最適な本で勉強するのとでは、効率に大きな差が出て、目標レベルに到達するまでの時間が数ヶ月単位で変わることも珍しくないからです。だから、数週間かけてでも自分に合う良著を見つけることは、経済的な面だけでなく、時間的にも合理性があります。

そうしてじっくりその分野の本を吟味すると、**その分野の参考書・問題集は大体知っている状態**になります。もちろん、それぞれの中身の詳細までは知りませんが、どの程度の詳しさで、どの程度のわかりやすさなのかなど、選定に必要な情報はわかっているので、同じ勉強をしている友人にアドバイスできるレベルです。これが僕の言う**「真・参考書マニア」**な状態です。

時間をかけて参考書や問題集を選ぶことのメリットは、時間の節約になるだけではありません。勉強中の迷いがなくなるという効果もあります。

吟味し尽くさずに選んだ本に取り組んでしまうと、インターネット上でふとほかの本を目にしたときや、友達が取り組んでいる本を見たときに、「あれ、あっちの本のほうが良さそうだな。あの本に乗り換えればもっと成果を出せるんじゃないか」と、別の本に誘惑されてしまいます。今自分が期待通りの成果を出せていないことを、本のせいにしてしまう。それで別の本に取り組み出し、そこでも思った成果を出せず、また本を変えて、成果を出せず…。中途半端に手をつけた本ばかり増えていき、典型的な「ダメ参考書マニア」になってしまいます。

一方、**吟味し尽くして本を選ぶと、ほかの本に誘惑されたときでも、「いや、自分の本のほうが自分には合っている」という揺るぎない自信を持てる**ようになり、選んだ本を迷いなく貫徹できます。勉強中の集中力も高くなるため、成果が出るまでの時間が一層短くなるのです。

POINT

参考書や問題集を選ぶときは、自分が本屋に行き、時間をかけてその分野の本を吟味し尽くし、自分に最適な本を選ぼう。それが結局は勉強時間の節約につながるだけでなく、人生を大きく変えることもあるのだから。

最初の1冊はスラスラ読める本を選ぶ

ここからは具体的にどのような本を選ぶべきかをお話しします。自分の勉強の進み具合いに応じて、使用する参考書・問題集を変えていきます。この項では勉強をやり始める最初の段階で選ぶべき本と、最初の1冊の勉強法について述べます。

✦ 1冊目はスラスラと全体像を把握できるビギナー本を選ぶ

何かを勉強しようと思ったとき、最初はやる気があふれているので、いきなり分厚く、知識が網羅されている参考書に飛びついてしまうことがあります。僕も最初はそうでした。しかし、初学者がいきなり細かいところまで説明されている本を読んでも、なかなか理解できません。やる気がどんどんなくなっていき、本を開く頻度も減り、気づけば本にホコリが被っている、という状態になってしまいます。

初学者が一番に悩むべきなのは、どうやったら自分のやる気を維持しながら、ある程度の期間

学び続けることができるかです。僕の経験則ですが、3ヶ月継続できれば、その後は多少難しいなと思っても、やり続けることができます。すでに3ヶ月も時間をかけたのだから、それを無駄にするのはもったいないという気持ちが働きます。

3ヶ月続けるためには、わかりやすく新しい知識がどんどん入ってくる本で勉強することが必要です。勉強のやり始めはやる気があるので、わかりやすければ知的好奇心がくすぐられて、どんどん読み進めたくなります。そうすると、自分の成長をしっかり感じることができ、これもやる気の一助になります。そして、さらに意欲が高まり、脳が知識を受け入れやすい状態で読み進めることで、新しい知識をよく吸収し、またやる気が高まる…という好循環に乗ることができます。

だから、**1冊目として選ぶべき本の条件は、第一に、大ざっぱな内容しか掲載されてなくても良いから、とにかく自分がわかりやすく、スラスラ読めること**です。

選ぶべき本として、もう1つ条件があります。それは**薄めである**、ということです。学習すべき内容の全体像を把握している状態になれば、各論の知識を学んでいるときでも、理解度が格段に高くなります。知識というのは、頭の中でほかの知識とつながりを持ったときに強固に記憶され、「理解できている」という感覚を生んでくれるからです。

反対に、全体像を把握せずに各論を勉強していると、今学んでいる知識が今後どのように関わってくるのかわからず、理解しづらく退屈になり、すぐに記憶から抜け落ちてしまいます。

ですから、この**全体像の把握を何よりも早く達成することが、その後の学習スピードと理解の深さを決定します。**そのためには、分厚い本では不利です。わかりやすく初学者向けであっても、やたらと量が多くて、読み通すのに半年かかる、というような本もよくあります。そのような本ではなく、薄めの本を選びましょう。

ということで、1冊目に選ぶ本としては、自分が詰まらずにスラスラ読めること、薄めであること、が条件となります。以下、この本を「ビギナー本」と呼ぶこととします。

◆疑問解消用に辞書的参考書も用意する

いくらわかりやすい参考書を選んでも、少ないながらもわからない所は出てくるものです。そういう疑問を放置したまま読み進めると、その後も、そこがわからないせいで理解できない部分が出てきます。なので、**小さな疑問でも、出てくるたびにその都度、しっかり解消していく**のが良いと思います。

また、しっかり理解しながら読んでいると、好奇心が刺激され、これはどうしてこうなるのかな？ というように、より深く知りたくなるときもあります。この**好奇心は、記憶を強固にしたり、理解を深めたりするための絶好のチャンスなので逃してはいけません。**ここで「まぁいっか」で流す人と、「ちょっと調べてみよう」でしっかり調べて納得する人とでは、長期的に大きな差が生まれます。

そのため、薄い初学者用の本のほかに、もう1冊、**疑問や好奇心にこたえるための辞書的な参考書が必要**となります。これは必ずしも、辞書のように一単語ごとに説明を書いている本である必要はなく、知識が網羅されている非常に詳しい本ということです。この本の使い方は、ビギナー本でわからなかった箇所や、好奇心を刺激されたことがらについて、より詳しく調べるために使います。ビギナー本で出てきた単語について、この辞書的参考書の巻末の索引で調べて、該当のページのみ読む、という使い方をします。

この辞書的参考書を選ぶ際に大切なのは、掲載されている知識量の多さ、索引の細かさです。具体的な選び方は、書店で、知識の網羅性をうたっている参考書をピックアップします。例えば、書店にそういう参考書が3冊あったとします。そこから次のような方法で1冊に絞ります。各参考書の索引から、太字などの重要だと思われる単語を5単語ずつ、合計15単語選びます。この15単語について、各参考書に何単語掲載されているかを確認し、一番多く掲載されている参考書を選びます。ただし、掲載されている重要単語数がほぼ同じ参考書が2冊以上あって、単語数だけでは絞りきれない場合もよくあります。そんなときは実際に本文を読んでみて、わかりやすさも考慮して、使用する参考書を決めます。

◆ビギナー本は短期間で周回し、シャドー説明できるレベルを目指す

ここからはビギナー本を使った勉強法を紹介します。できるだけ早く全体像を固めるため、**ビギナー本をすばやく3周**しましょう。細かいところまで覚える必要はないですが、太線や赤文字になっているキーワードは覚えるようにしましょう。マーカーを引いたり、暗記作業をする必要はありません。そのほかの細かい情報は、2冊目以降で覚えていくので大丈夫です。1冊目の知識が幹となり、2冊目以降で枝葉を生やし、細かいところまでカバーしていくイメージです。

ビギナー本で勉強する際に、辞書的参考書で調べたことは、ビギナー本に書き込んでいきましょう。ビギナー本を周回するときに、再度調べなくてもよくなりますし、「ここを調べた」という痕跡を見るだけでも、関連する記憶が呼び覚まされ、記憶を強固にしてくれます。

ただし、周回する際の注意点があります。一気に最終ページまで読み進めるのではなく、章ごとに、十分理解が深まったことを確認してから次章に進むという読み方をします。**今読んでいる章で覚えたキーワードを使って、章全体の概要を声に出して説明できるようになってから次章に**

進みます。ポイントは「声に出す」ということです。頭の中で説明するだけでは、理解していないところがあっても、気づきにくいのです。そのため、友達が目の前にいると思って、その想像の友達に対して、章の内容を声に出して説明してみてください。一度目はきっと詰まったり、自分でも説明していてよくわからないな、というところがあるはずです。そこで一旦立ち止まり、またビギナー本の該当箇所を読み、ときには辞書的参考書の該当箇所も読んで、しっかり理解します。そしてそこからまた説明を続けます。

この一連の作業を僕は**シャドー説明**と呼んでいます。実際に相手はいないけど、相手を想像しながら声に出して説明することです。自分の頭の整理が目的なので、わかりやすい説明ができたと自分で思えればＯＫです。

こうして、各章について、概要を説明できるレベルにしていくことを繰り返し、3周すればビギナー本は卒業して良いでしょう。

POINT

1冊目は素早く全体像を把握できる、薄めで読みやすい本を選ぶ。その際、疑問点の解消のために知識が網羅されている辞書的参考書もお供に使おう。各章の概要を口頭説明できるようにして、3周すれば1冊目は卒業となる。

2冊目以降で段階的にレベルを上げる

✦次は「わかるようになった本」を選ぼう

1冊目を終えたら、また本屋に行きましょう。1冊終えた状態ですと、試験合格や実務に役立つレベルの知識を手に入れるなどの目標達成のために、必要な学力がおおよそどの程度かわかるようになっているはずです。試験合格が目標であれば、一度過去問を眺めてみるのも良いでしょう。

2冊目以降は、目標と現在の学力のギャップを強く意識して、これを埋めてくれる本を選びます。この状態で本を物色すると、以前まったく理解できなかった本が、理解できるようになっていることに気づきます。そこで、**じっくり該当分野の本を立ち読みし、①わかるようになった本、②もう少しでわかりそうな本、③まだまだ理解が難しい本、に分けていきます。**

この段階で取り組む本は、①か②です。①のレベルの本を飛ばして、いきなり②のレベルの本に取り組むことも、辞書的参考書を駆使しながらだとできなくもないですが、かなり根気のいる勉強になるので、おすすめはやはり順当に①の本です。立ち読みの段階でふむふむと、あまり詰まらずに読み進められる本を選ぶのが良いです。

①の本に取り組む時間を省略したくて、いきなり②のレベルの本に取り組む人がいます。しかしこれはハイリスク・ローリターンな選択です。挫折しやすく、また挫折しなくても、理解に時間がかかり、日々の勉強がなかなか進みません。①のレベルの本に取り組んで自分の学力を上げてから、②の本に取り組んだほうが、かえって時間的にも短くすむこともよくあります。やる気の面でも、日々の勉強でストレスをそれほど感じない難易度の本に取り組むのが継続するコツです。

また、この段階では、問題集で実戦的な学力を育てることが重要になります。**①のレベルの参考書と問題集の両方を選びましょう。** 参考書と問題集が1冊になっている本も多数ありますので、そういう場合は1冊で大丈夫です。

こうして、①のレベルの本を選び終わったら、本屋から帰る前に、**②の「もう少しでわかりそうな」レベルの問題集を選んでタイトルをメモしておきましょう。** ここでポイントは、問題集のみで良いということです。②のレベルに取り組むときには、もはや新たな参考書は不要になっていることが多いです。問題集の解説を十分理解できるレベルになっているからです。もしわからないところがあっても、辞書的参考書で解決できることが多いです。ですので、②のレベルの本は問題集のみで良いです。

また、①の本を選んだ段階で②の本も選んでおくというのもポイントです。**これを終わらせたら、次はこれをやるぞと決めておくことで、やる気を保つことができます。**①の本を終わらせた後、②の本がスイスイ解ける自分を想像してやる気に変えます。もちろん、①の本で勉強していく中で、次に取り組むべきレベルがより鮮明になっていき、②のレベルの本を予定から変更する、ということは大いにアリです。

問題集を買おうにも、勉強の分野によっては、問題集が少ない分野もあるでしょう。単純に知識を暗記するような分野、例えば業務知識を覚えるような勉強です。そういう場合は、問題集の代わりに参考書を使用します。ただ、自分で参考書にマーカーを引いて、重要な部分は赤シートなどで隠せるようにして、アウトプットの練習ができるようにしてください。この項では、そういう自分で問題集化した参考書も問題集と呼ぶこととします。

2冊目を選んだ後は、その本も周回してマスターします。それが終わればまた次のレベルの本を選んでマスターします。こうして、1段ずつレベルを上げていけば、ビギナー本を1段目として、2〜3段目、多くても4段目のレベルをマスターした段階で、目標達成が可能な学力になっていることが多いです。

◆参考書や問題集を卒業する基準は正答率

今取り組んでいるレベルの参考書や問題集を卒業して、次のレベルに行くかどうかの基準は、正答率です。参考書であれば覚えるべき箇所（マーカーを引いた箇所など）の正答率、問題集であればシンプルに**問題の正答率が9割程度になれば次の本に移行しましょう**。問題集の中にはマニアックな問題や、あまり役立たない問題（試験にほぼ出ないような問題など）も含まれているでしょうから、そういう問題を除いて、正答率が9割あれば合格です。

残り1割はできなくても、次のレベルの本に取り組む中で理解できるようになったり、そもそも目標達成には必要なかったりするので、あまり気にしないようにしましょう。経験上、9割マスターするのにかかる時間と、10割マスターするのにかかる時間は倍くらい違います。時間効率は常に意識したいところです。

より詳しい正答率の計り方は、第3章の「ジャンル別　勉強テクニック『マスターできた状態とは？』」にて述べていますので、そちらを参考にしてください。

◆最後の仕上げの1冊を選ぶ

目標達成が可能な学力レベルに到達した後は、その学力を維持するのが目的となります。そのための参考書・問題集を仕上げの1冊と呼びます。この本は、**記憶を維持するために、何度も繰り返す本**です。暗記系の勉強では参考書を使い、数学・物理・数的処理などの思考系の勉強では問題集を使います。目標達成のために必要十分な知識や、必要十分な難易度の問題が網羅されている本が良いです。今まで取り組んだ本の中に、そういう本があれば、その本を繰り返しても良いですし、なければ仕上げの1冊を選びに、また本屋におもむきましょう。

目標が試験合格の場合は目標の試験日まで、試験合格が目標でない場合は、考えなくてもスッと知識が出てくるようになるまで、この本を繰り返します。まずは今まで通り、素早く1周します。でも2周目以降は、それまでの勉強ほど高頻度で勉強する必要はないです。この段階までに、十分繰り返し勉強してきたので、すでに簡単には忘れないようになっているはずです。なので、例えば、1週間に1回程度の頻度でさらっと読み進めるというイメージです。もし「あ、結構忘れているな」と感じる部分があれば、今まで取り組んだ参考書・問題集を取り出して、詳しく理解したり、問題演習を補うと良いです。

僕が東大入試に臨むときにも、各科目に仕上げの1冊がありました。ラスト半年は各科目それぞれ、仕上げの1冊をメインに繰り返していました。化学の記憶が特に強く残っています。9月頃に、東大入試に合格するのに十分な知識や考え方が掲載されている本に出会いました。それまで段階的にいろんな参考書や問題集に取り組んできましたが、最後の半年はその1冊を繰り返していました。模試などのテストで穴が見つかるたびにその1冊に立ち返り、復習して、ときにはその本には書かれていない知識も書き込んで、自分なりのオリジナルの1冊に仕上げていき、入試開始時刻の直前まで眺めていました。

こういう参考書・問題集の使い方は、学生の勉強だけにとどまらず、大人になっても変わりません。プログラミングを学んだときも、超基本の本から手を付け、段階的にレベルを上げ、詳しい本も読めるようになっていきました。実務を始めた頃は、適宜仕上げの1冊を参照し、必要に応じてメモを書き込んだりしていました。そういうことを繰り返していると、仕上げの1冊の内容が自然と頭に入っていき、今ではもう本を参照することはほとんどなくなっています。

POINT

2冊目以降は、無理に一足飛びに進まずに、一段階ずつ参考書・問題集のレベルを上げていく。目標達成に必要な学力に到達したら、十分な知識・問題が掲載されている仕上げの1冊を選んで繰り返す。

状況に合わせた参考書の使い倒し方

これまで述べた参考書の選び方、使い方は僕のオーソドックスな方法ですが、ときにはアレンジを加えることもあります。皆さんも、目的や自分の現在の学力に応じて、あるいは、出会った本のクオリティに応じて、アレンジを加えて最適化していただけたらと思います。ただし、先にも述べたように、ただ楽をするためだけのアレンジになってないかだけは、注意して自問自答してください。この項では、僕のアレンジ例をご説明します。

◆アレンジ① 最初の1冊目からガッツリ暗記する

まず、オーソドックスな方法を軽くおさらいすると、1冊目は全体像を素早く把握することを目的とし、概要の把握にとどめ、2冊目以降で細かいところまで覚えていきながらステップアップして、最後の1冊を繰り返すという方法でした。

しかし、最初の1冊として、非常に密度高く基礎知識が詰まっていて、かつ、読んでいてわかりやすいという良著に出会えるときがあります。また、知識の密度は高くなくても、とても興味をひかれて、この本でしっかり勉強したいと感じるときがあります。そんなときは、チャンスを逃さず、1冊目からガッツリ暗記してもOKです。重要そうなところにマーカーを引きまくり、隠しながら何度も暗記作業をします。1冊目の大きな役割は、本来、素早く全体像を把握するということでしたが、このやり方だと、**全体像の把握は少し遅れてしまいます。ですが、良著による勉強の効率化や、やる気の高まりによる理解度の上昇というメリットのほうが大きくなります。**

そして、1冊目をほぼ完全に記憶したら、2冊目に取りかかります。この際、オーソドックスな方法ですと、参考書と問題集を併用する形になりますが、1冊目からガッツリ暗記したのであれば、参考書は不要になることが多いです。今の自分のレベルに合った問題集を探して取り組みましょう。以降はオーソドックスな方法と同じで、段階的に本のレベルを上げていき、最後の1冊を繰り返します。

僕の場合、大学入試の世界史はこの方法で取り組みました。本格的に大学受験に向けた勉強を始めた頃、弱点だった世界史の補強に乗り出そうと、本屋で参考書を探していると、教科書よりは薄い参考書だけれど、試験によく出る内容だけがぎっしり詰まった本を見つけました。しかも知識の羅列になっておらず、しっかり世界史をストーリーとして理解できる本でした。

本来なら、知識のつながりのある世界史という科目こそ、まずは素早く全体像を把握して、その後細かい枝葉の知識を付けていくのが王道だと思いますが、見つけた本の知識の密度の高さから、この1冊目からガッツリ覚えていくのが良いと判断しました。この本をマスターした後は、ひたすら模試や過去問を問題集代わりに解いていました。この本は比較的薄かったので、テストに出た知識が掲載されていないなんてこともままありましたが、その度に掲載されていない知識を本に書き込んで、十分な量の知識が掲載されている本に育てていきました。

結局、この最初の1冊を仕上げの1冊に育て上げ、直前までこの本を繰り返していました。

◆アレンジ② いきなり難しめの1冊に取り組む

状況によっては、すでに取り組む範囲の全体像が把握できていることがあります。日々の業務の中で知識が付いていたりだとか、過去の勉強の知識を活かせる場合などです。僕にとっては大学院の入試がそうでした。僕はワケあって、自分が所属していた学部とは畑違いの大学院に進学することに決めましたが、入試科目は数学だったので、学部の勉強を活かすことができました。

基本的な知識は身に付いている状態でしたので、最初の基本の1冊はスキップして、いきなりそこそこの難易度の問題集から取り組みました。その問題集をマスターしたら、後は過去問を解きつつ、適宜その問題集に立ち返るというような勉強の仕方をしていました。結局入試までその1冊を使い続け、それが仕上げの1冊の本にもなっていました。入試まで数ヶ月という時間的な制約もあり、じっくり基礎からやり直すような時間がなかったことも、そのような取り組み方を採用した一因です。

このように、**自分の現在の学力がすでにそこそこあって、勉強にかけられる期間が短いという場合は、いきなり難しめの1冊に取り組むという選択肢もアリ**です。ただ、基本の知識が全然ないのに、時間を節約できるという観点のみで、この方法をとるのはやめておきましょう。自分の学力が足りないのに、いきなり詳しい本に取り組むと、かえって時間ばかりかかって、あまり身に付かないということになってしまいます。

POINT

基本的にはオーソドックスな参考書の使い方をしつつ、状況に応じて、アレンジを加えても良い。1冊目からガッツリ暗記したり、いきなり難しめの1冊に取り組んだりする方法を紹介した。

戦略2

「繰り返す作業」を織り込んでスケジュールを決める

勉強を始める前に、まず自分の忘却曲線を調べよう

◆記憶が5割、3割残っている日数を把握しよう！

自分の記憶がどれくらいの日数でどれくらいなくなっていくのかということは、勉強を効率よく進めるうえで根幹とも言える非常に重要な情報です。にもかかわらず、あまり把握していない人が多いことに驚きます。あなたは、今日覚えたことが頭に5割残っているのは何日後か言えるでしょうか？

もちろん、どんな暗記作業をするかによってその日数は変わってきます。僕が行っている暗記作業の詳しい説明は217ページの「まずは『行き戻り暗記』で覚える」と223ページの「ある程度定着したら『通しで確認』する」を参考にしてください。大事なのは、この暗記作業を行った後、その記憶が3～5割残っているときに再度暗記作業することです。

なぜ3～5割かと言いますと、記憶が十分残っている状態で再度暗記しても、あまり記憶の強化につながらず、かと言って、記憶があまり残っていない状態で再度暗記すると、これもあまり記憶の強化につながらないばかりか、2回目の暗記作業に、初回の暗記作業と同じくらいの時間がかかってしまうからです。

暗記作業において、**記憶が一番強化される瞬間は「あ～この言葉覚えたぞ…なんだったかな…そうだ！　〇〇だ！」というように、忘却の彼方に飛びそうになっている言葉を脳に連れ戻したとき**です。まだ脳にしっかり居座っている言葉を思い出しても、それは大した記憶の強化になりません。また、完全に忘却の彼方に飛んで行ってしまった言葉を覚えることは、初回の暗記と同じ効果しか持ちません。

この「そういえば覚えたぞ…」の瞬間が暗記作業中に多くなるのが記憶保持率（前回の暗記で覚えたことがらのうち、今覚えていることがらの割合）3～5割の期間です。この期間内であれば、暗記作業中に答えられなかった言葉でも、再度見れば「あ～そういえば覚えたな」と、脳に連れ

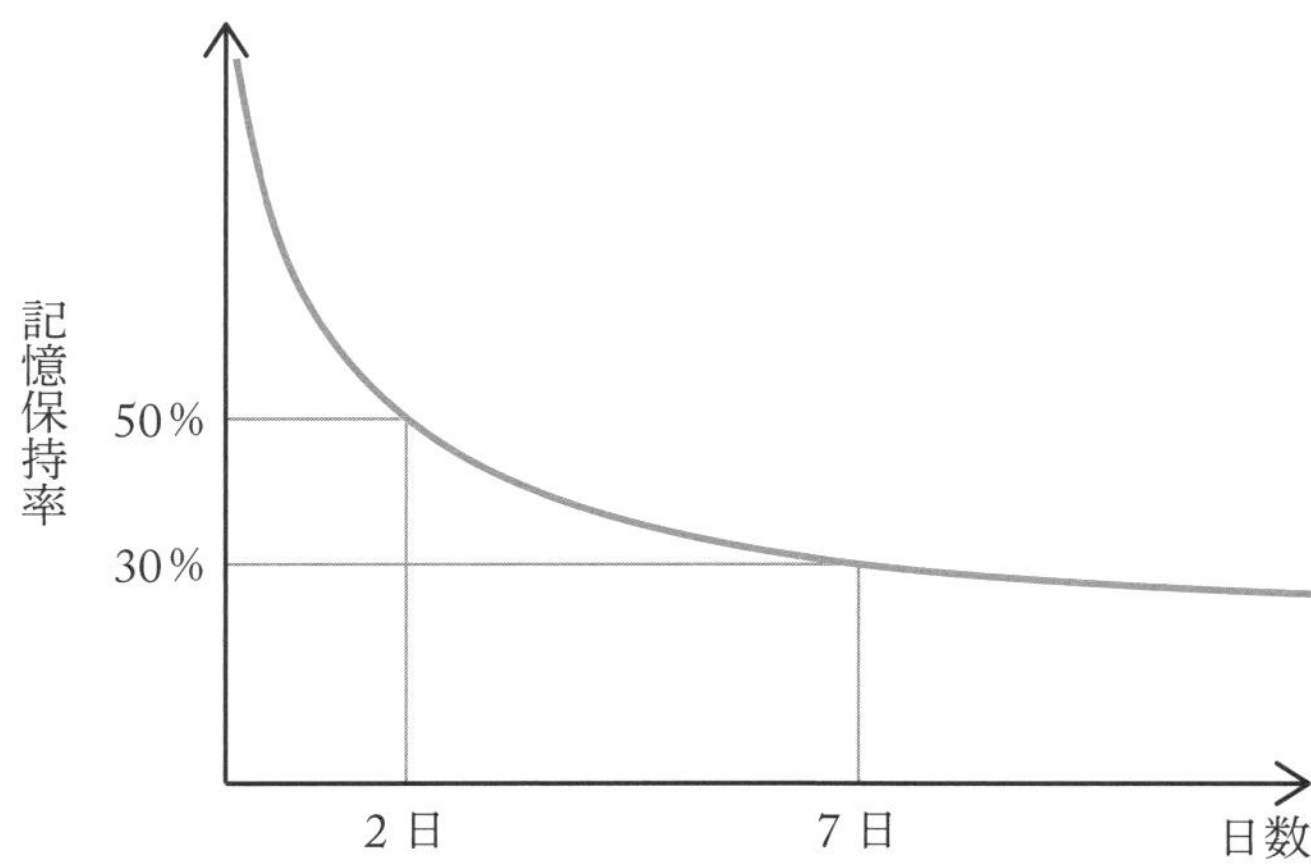

図2.1　僕の忘却曲線

戻すことができます。つまり、この期間内に再度暗記作業をすべきだということです。ここが暗記についての非常に重要なポイントです。

記憶保持率が5割、3割になる日数は、人によって驚くほど違うので、**ネットや本の情報をあてにせず、自分自身で何度か試して計測する**ほかありません。ちなみに、僕の日数は、初回暗記後、5割になるのが2日後、3割になるのが7日後です（図2・1）。両者の日数は数倍の差があるのが一般的だと思います。5割になるのは早いですが、そこから3割までは意外と長い日数保つことができます。つまり僕は、初回暗記後2〜7日の間に2回目の暗記作業をすべきということです。

ここからは、記憶保持率が5割になる日数を5割保持日数、3割になる日数を3割保持日数と呼び、これらをまとめて記憶保持日数と呼ぶこととします。

◆初回暗記作業後、記憶が5割、3割になる日数の見つけ方

では、これらの日数の測り方を説明しましょう。あなたはこれから参考書のある範囲を覚えるとします。**1周目は理解するために黙読し、2周目は記憶するために音読する、3周目以降でしっかりした暗記作業を行います。**

この3周目までは時間をおかず、その日のうちに連続してやりましょう。覚えようとする範囲を黙読した後、そのまま最初に戻って音読し、終わったらその範囲を暗記作業で覚えます。連続してやる理由は、1回黙読したり、音読したりするだけでは当然すぐに忘れるので、1日でも空けば、記憶のほとんどが忘れ去られてしまいます。そうなると黙読や音読の意味がほぼなくなってしまうので、そうなる前にしっかり暗記作業をして記憶を固めたいからです。

ここまでやった後に、2日後、その範囲をどの程度覚えているか確認します。覚えるべき箇所を赤シートなどで隠しながら答えられるか確認していき、答えられた箇所が全箇所の何割か計算してください。それが2日後の記憶保持率ということになります。

これが例えば7割なら、記憶保持率が5割になるのは、暗記作業した日の4日後かな、と大体

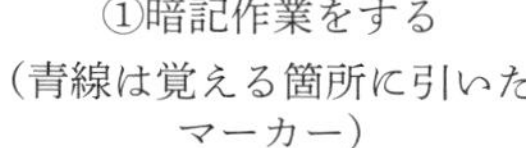

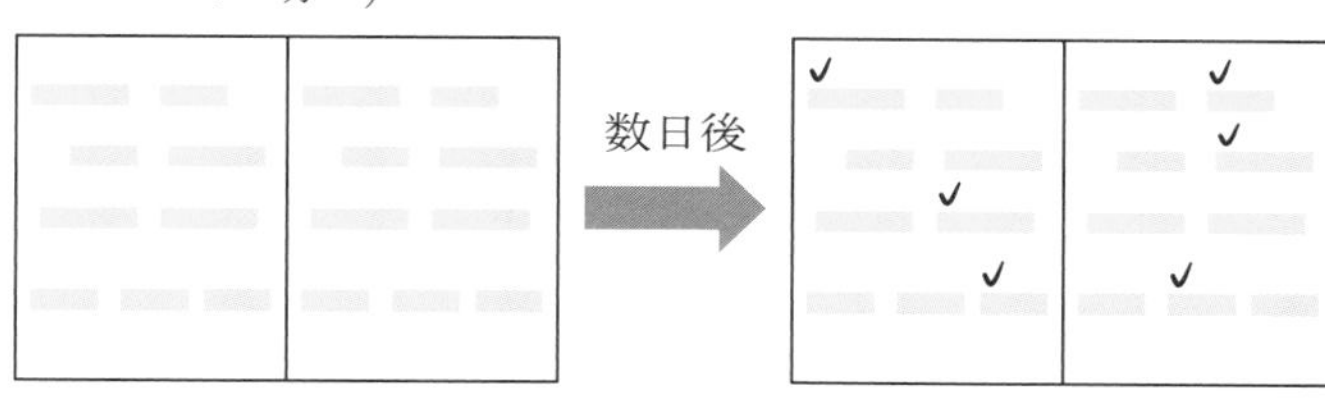

②で正答率が約5割（3割）でなければ、①と②を繰り返して正答率が約5割（3割）になる日数を見つける。
※①の暗記作業は毎回新しい範囲を覚えること。
※①と②の間の日数は2日から試すと良い。

図2.2　記憶が5割、3割になる日数の見つけ方

の予想がつきます。なので、また新しい範囲の記憶作業をしたときに、4日後同様に記憶保持率を計測して、5割付近になることを確かめてください。

5割保持日数を見つけられたら、次は同様に3割保持日数を見つけます。最初は5割保持日数の3倍の日数から試すと良いでしょう。初回の暗記作業をした日からその日数が経った後に、記憶保持率を計測してください。それが2割ならもう少し日数を縮める、4割ならもう少し日数を伸ばす、というように、記憶保持率が3割になる日数を予想し、検証してください（図2・2）。

こうすることで、**初回暗記後に復習すべきタイミングが、かなりの精度でわかります。**もちろん、暗記する内容によって、記憶保持日数は変わってきます。興味あることだと、1回の暗記作業で長期間覚えているし、興味ないことだとすぐに忘れてしまいます。なので、この計測をするときは、そんなに好きでも嫌いでもない、自分の興味レベルが普通の分野を選んで計測すると良いです。こうして、一般的な分野の記憶保持日数を知っておけば、興味ある分野は復習タイミングを少し遅くしたり、興味がまったくわかない分野は復習タイミングを少し早くしたりして対応することができます。

◆ 2回目、3回目の暗記作業後の記憶保持日数は大ざっぱに把握する

ここまで初回の暗記作業後の記憶保持日数の測り方を説明してきました。同様に、2回目、3回目の暗記作業後の記憶保持日数も把握しておくべきです。ただ、初回の暗記作業後の記憶保持日数に比べ、これらは大ざっぱで良いです。2回目、3回目の記憶作業後は、長期間記憶が持つので、1日、2日ずれただけで記憶保持率が大きく変わるということはないからです。これも大きく個人差のあることですが、**初回暗記作業後の5割保持日数や3割保持日数の3倍程度の日数から検証を始める**と良いでしょう。例えば、初回暗記後は5割保持日数が2日、3割保持日数が7日の方は、2回目の暗記作業後の5割保持日数は6日、3割保持日数は21日という予想が立ちます。ですので大ざっぱに、2回目の暗記作業から2週間後くらいに3回目の暗記作業をすれば

良さそうだと考えます。そして、実際に2回目の暗記作業をした2週間後に暗記作業をしてみて、記憶保持率が3～5割程度になっていることを確かめてください。記憶保持率が5割以上なら少し期間を伸ばし、記憶保持率が3割未満なら少し期間を縮めるという調整をしましょう。

こうして2回目の暗記作業後の記憶保持日数を把握したら、次は3回目の暗記作業後の記憶保持日数の把握です。これもまた、**2回目の暗記作業後の記憶保持日数の3倍程度を予想して検証する**と良いでしょう。ただし、2回目の暗記作業後の記憶保持日数が、初回暗記作業後の記憶保持日数の3倍よりもはるかに多いときは、4倍や5倍程度を予想するのもアリです。ここまでの検証で判明した自分の記憶の持ちに合わせて調整してください。

◆ 4回目以降の暗記作業後の記憶保持日数は把握しなくてよい

4回目の暗記作業後の記憶保持日数は、3回目の暗記作業後の記憶保持日数のさらに数倍になり、数ヶ月程度記憶が持つことになります。ここまでくると、記憶保持率が5割以下になるまで待つ必要はありません。ほとんどの内容は、長期間頭に残るでしょう。ただ、ここまで繰り返してもなかなか頭に入らない内容が多少なりともあるはずです。こういう、自分にとってかなり覚えにくい内容でも頭に叩き込んでいきながら、ほかの内容の定着も確認するのが4回目以降の暗記作業の役割となります。この段階では、忘却曲線にかかわらず、それよりも早い周期で定期的に繰り返します。

POINT

初回暗記作業後、その記憶が5割になるまでの日数と3割になるまでの日数を把握しよう。その日数の間に復習すると記憶が非常に強化される。暗記作業をするたびに記憶保持日数は長くなる。2回目、3回目の暗記作業後の記憶保持日数は大ざっぱに把握しておこう。

参考書・問題集の繰り返しは11周が目安

◆参考書や問題集の卒業の基準はあくまで定着率

「参考書をマスターするには何周すれば良いですか？」と聞かれることがあります。しかし、これまで述べたように、忘却曲線は人それぞれ違いますから、参考書や問題集を何周すれば覚えられるかというのは一概には言えず、周回数を基準にするべきではありません。あくまで基準は知識の定着率を使うべきで、何周必要かというのは結果論でしかありません。何周しても覚えられないという人は、とにかく周回するのが目的になっていて、周回ごとに定着率を測るという作業をやっていないことが多いです。ですので、先ほどの問いかけに対する答えは、**定着率が望む数値より上になるまで周回しましょう**、ということになります（定着率の測り方は229ページ「マスターできた状態とは？」で説明しています）。

ただ、一応目安があったほうが何かと便利ですので、僕は大体これくらいで覚えられるという数値をご紹介します。読者の皆さんも、定着率を測りながら周回してみて、ご自身が参考書を覚えるのに大体何周必要か把握できたら、僕の数字と比べてみてください。ほぼ同じなら、こんなに周回数が必要でも大丈夫なんだと安心してください。僕の数字より遥かに多い場合は、暗記方法に改善点はないか検討してみてください。第3章の「暗記系科目の勉強法」が参考になると思います。僕の数字より遥かに少ない場合は、優れた脳を持って生まれてラッキーだと思ってください。

繰り返しは11周が目安

最初に取り組む1冊であるビギナー本は3周繰り返すと述べましたが、**2冊目以降、細かな知識までしっかり暗記する段階では、僕は11周程度は繰り返しています。覚える範囲をだんだん広くしながら繰り返します。**

例えば、12章からなる参考書を覚えるとします。まず1章を5周します。前項でも説明した通り、1周目は理解するために黙読し、2周目は記憶するために音読します。その後、3周目は、大事なところをマーカーや赤シートを使って隠しながら、答えられるか確認する暗記作業（詳細は217〜228ページ参照）をします。この3周目では大体答えられませんので、安心してください。4周目でしっかりした暗記作業の2回目をし、5周目で同様の暗記作業の3回目をします。

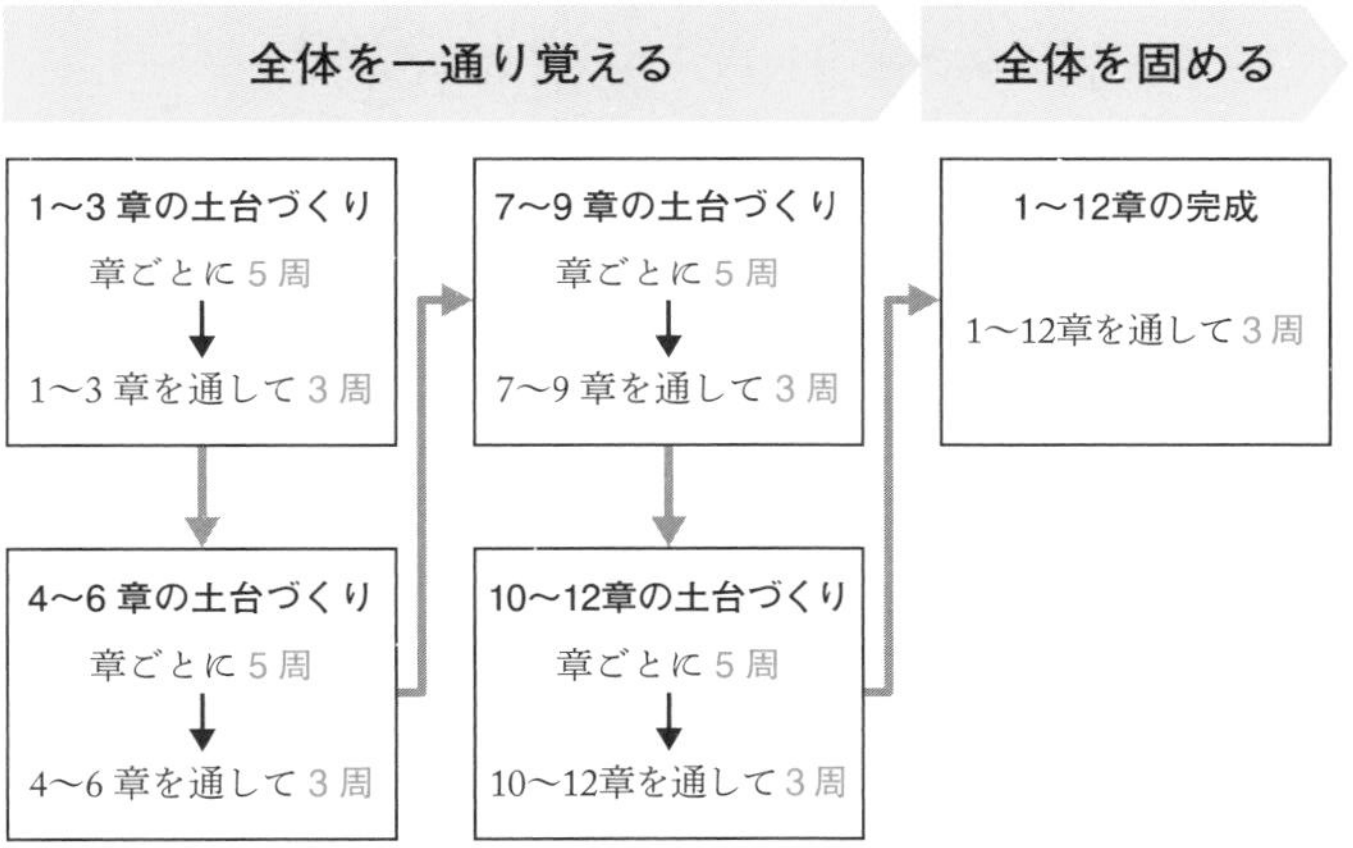

全体を一通り覚える		全体を固める
1〜3章の土台づくり 章ごとに5周 ↓ 1〜3章を通して3周	7〜9章の土台づくり 章ごとに5周 ↓ 7〜9章を通して3周	1〜12章の完成 1〜12章を通して3周
4〜6章の土台づくり 章ごとに5周 ↓ 4〜6章を通して3周	10〜12章の土台づくり 章ごとに5周 ↓ 10〜12章を通して3周	

図2.3　1冊を11周する方法

ここまで来ると高い正答率になると思います。このようにして1章を覚え終わったら、2章、3章についても同様の作業をします。

3章を覚え終わった後、1章や2章の記憶が薄まっているので、1章から3章を通して、暗記作業を3周します。これで8周です。次の4章以降も同様の作業をします。4章、5章、6章をそれぞれ5周した後、4〜6章を通して3周します。以降3章ずつ同様の作業をし、12章まで一通り覚えます。

その後は1章から12章を通して、覚えるべき箇所を覚えられたか通しで確認します。この作業を3周します。

まとめると、**各章個別に5周、3章ごとに3周、全体を通して3周で、計11周する**ことになります（図2・3）。

これは問題集についても同様です。社会や知識メインの資格試験など、暗記系科目の問題集はもちろんのこと、数学などの思考系科目の問題集でも同じです。数学などの思考系科目の問題集も、結局は問題と解法パターンを覚える側面が大きいので、多くの場合、暗記系科目と同様の記憶作業が必要となるからです。

もちろん、記憶すべき量や内容によって周回数は変わりますので、11周というのは、あくまで目安として考えてください。

◆忘却曲線を意識して暗記スケジュールを立てる

11周のうち、5周目までと6周目以降ではスケジュールの立て方が大きく異なります。**5周目まではまでは慣れない知識を叩き込むべく、忘却曲線を強く意識して、絶妙なタイミングで繰り返します。**6周目以降は、叩き込んだ知識を定期的に呼び起こして、全範囲をむらなく、しっかり定着させます。

5周目までのスケジュールの立て方の概要を図2・4にまとめましたので、ぜひそちらを見ながら読み進めてください。

12章の本を覚える場合を例に取って第1〜3章を5周する方法を説明します。5周目までの作

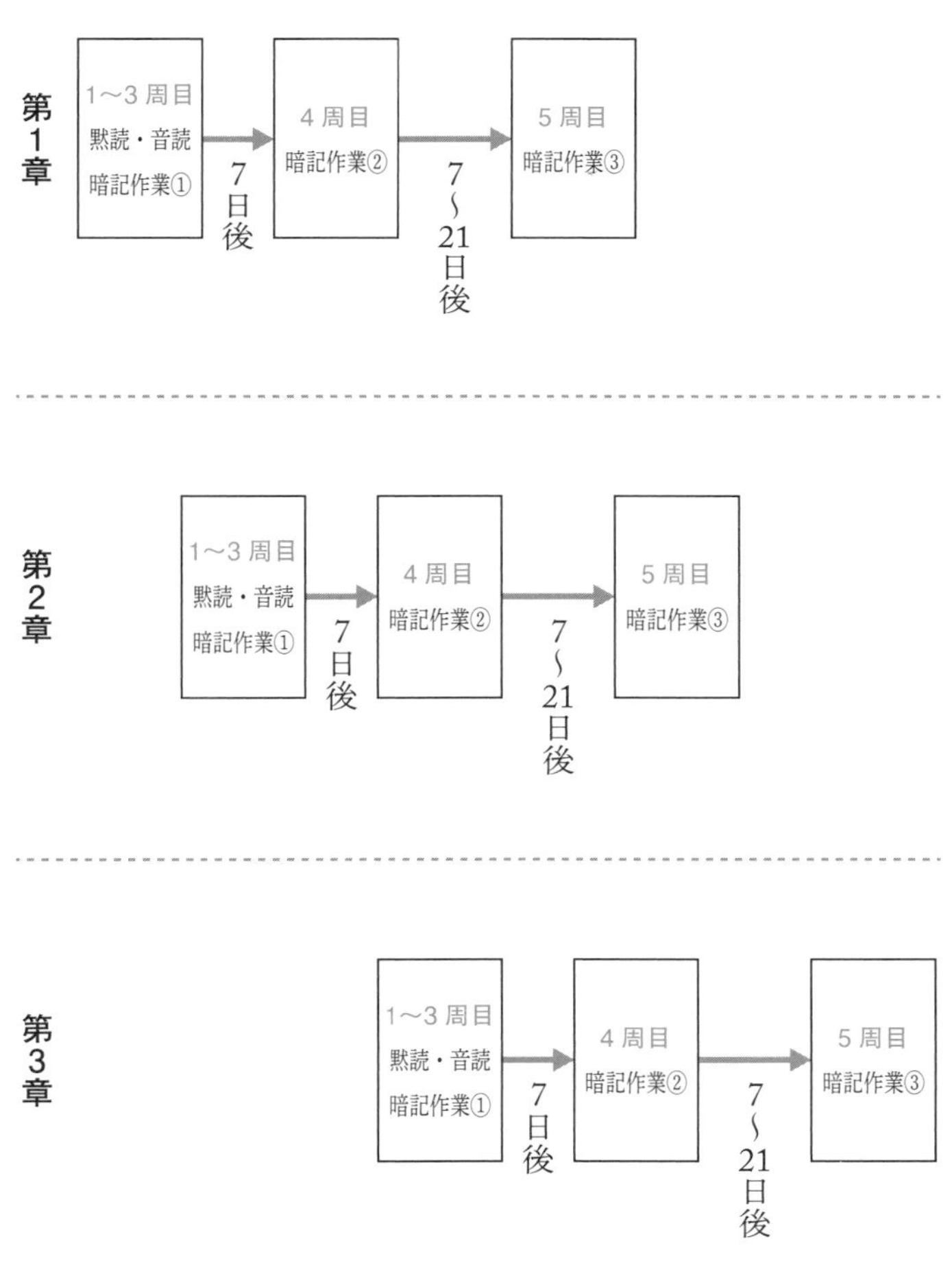

※日数は一例。自分の忘却曲線に合わせて調整すること

図2.4　5周目までのスケジュール例

業は、1周目「黙読」、2周目「音読」、3周目「暗記作業1回目」、4周目「暗記作業2回目」、5周目「暗記作業3回目」です。

ここで、3周目までは周回と周回の間に時間を空けずに、連続でやるという話は前項でしました。この3周目で初めて、しっかりした暗記作業をすることになります。第1章を3周した後、第1章の記憶保持率が3〜5割になるまで第1章は勉強してはいけません。ここでは7日間待つとします。その間何をするかというと、第2章です。第2章を3周目まで進めます。

こうして第2章を暗記している間に7日間が過ぎて、第1章の記憶が薄れてきます。そして第1章の記憶保持率が3〜5割になったら、第1章の4周目の暗記を行います。これが第1章の2回目のしっかりした暗記作業ということになります。第1章の4周目が終わったら、またその記憶保持率が3〜5割になるまで第1章は勉強してはいけません。ここでは7〜21日間待つとします。その間何をするかというと、第2章の4周目と、第3章の1〜3周目です。

こうしてまた第1章の記憶保持率が3〜5割になってから、第1章の5周目の暗記を行います。これが第1章の3回目のしっかりした暗記作業ということになります。その後、第3章の4周目を行い、第2章の5周目を行った後、第3章の5周目を行います。こうして、第3章まで5周終わらせます。

1日で1章まるごと3周目まで進めてくださいと言いましたが、それは難しいという方ももちろんいると思います。その場合は各章を前半と後半に分けてください。右の説明ではまず第3章まで5周するという話をしましたが、各章を前半・後半に分けた場合は、まず第1章の前半・後半と、第2章の前半を5周します。図2・4の第1章を第1章前半、第2章を第1章後半、第3章を第2章前半に置き換えてください。

6周目以降は、適切な期間内に一定のペースで進めるように計画します。期間の決め方など詳しくは次項の『2：1ルール』でスケジュールを組み立てる」で説明します。

◆即興思考力を鍛える問題集は3周が目安

思考系科目の問題集でも、11周程度繰り返すのが目安と述べましたが、例外があります。数学を例に取るとわかりやすいと思いますが、典型的な問題の解法を覚える段階と、一見見たことないような問題でも、覚えた解法を縦横無尽に使って解けるようにする段階があります。この一見見たことないような問題に対して考えて解く力を「即興思考力」と呼ぶこととします。

僕の経験則ですが、数学以外の思考系科目でも、解法を覚える段階にかかる時間のほうが圧倒的に長く、全体の勉強時間の8割程度を占めます。また、目標のレベルや試験によっては、典型的な問題しか出ないので、その解法を覚えていれば十分で、即興思考力をほぼ必要としない場合も多いです。

ですが、ハイレベルな目標を達成するには、この即興思考力で差を付けなければいけないこともあります。この**即興思考力を鍛えるためには、1冊を何周も繰り返して暗記するという方法は非効率**です。一見みたことないような問題でも考えて解く練習をしなければいけないので、すでに見たことのある問題を何回も解いても、本来やるべき練習にはならないのです。ただし、解くための糸口の見つけ方や、発想の方向性というものはある程度決まっているものなので、それらを身に付けるために、何回か繰り返すというのはアリです。解答を完璧に覚えていたり、見た瞬間解法が思い浮かぶという状態を目指す必要はないです。試行錯誤して糸口が見つかる。どんな試行錯誤の仕方があるかは知っている。そんな状態を目指します。

この目的のためには、同じ問題を繰り返すほど、思考ではなく記憶で解くことになり、その演習効果は薄れていくので、**旨味があるのは3周程度**だと思います。それが終われば、次の問題集に手を出して、また初見の問題への対応力を磨くのが良いです。なので、即興思考力を鍛えたい場合には、例外的ですが、最終的に使う本は仕上げの1冊だけではないです。典型的な問題が網羅された1冊（仕上げの1冊）を繰り返しつつ、即興思考力を鍛える問題集を別に購入し、3周しては、また別の即興思考力を鍛えるための問題集にとりかかるというやり方になります。**典型題の解法暗記と、即興思考力を鍛えるための練習を並行して進める**ということです。

POINT

参考書や問題集を何周すべきかは、人それぞれで、定着率が基準以上になるまで周回すべき。目安としては、僕は11周程度繰り返している。ただし、即興思考力を鍛えるための問題集は3周程度にとどめ、多くの問題に当たるようにしている。

「2：1ルール」でスケジュールを組み立てる

◆緻密さと柔軟さを両立させる

参考書をマスターする計画を立てるとき、非常に単純な計画しか立てない人がいます。例えば、12章からなる参考書を1年間でマスターしようとするとき、12章÷12ヶ月で、毎月1章進めれば良いと考えてしまう人です。このスケジュールの立て方がマズイということは、多くの読者が気づくと思います。1年経った後、最初の1ヶ月で覚えた第1章は、きっとほとんど記憶に残っていないでしょう。

ですので、**繰り返しを折り込んでスケジュールを立てなければいけません。**しかし、大体の方が、それでも大ざっぱすぎる計画になっています。例えば、1年で3周するとして、1周にかける時間は12ヶ月÷3周で4ヶ月。4ヶ月で12章を終えるには、12章÷4ヶ月で毎月3章進めれば良い、といった具合です。しかし、1周に4ヶ月もかけていては、最初のほうにやったことなんて、綺麗さっぱり忘れてしまい、一から覚え直しになってしまいます。それに、仮に1周目でそれなりに覚えられたとしたら、**2周目は1周目より短期間で終わるはずなので、そういうことも見越して計画を立てなければいけません。**もっと緻密に計画を立てるべきなのです。

一方で、緻密すぎても、何かイレギュラーな予定や業務が入って勉強を進められなくなり、遅れが生じたときに、計画に追いつくことができなくなってしまいます。ですので、柔軟さも兼ね備えた計画にすることが大事です。緻密さと柔軟さの両立が計画作成のキモです。

◆「2：1ルール」を使って時間を割り振る

そこで、僕は**全期間を3つの期間（ターム）に分け、各タームごとの役割を明確にして、ある程度細かくやることを決めていきます。**同時に、もしあるタームで多少遅れが発生しても、次のタームで頑張れば取り返せるぐらいの余裕を持った計画にします。

具体的に、12章からなる参考書を1年間でマスターする場合を例に取って、計画を立てていきます。参考書の周回の仕方は、まず、1～3章の章ごとにそれぞれ5周、1～3章を通しで3周。この作業を4～6章、7～9章、…と繰り返すのでしたね。この作業の前半（1～6章を覚える期間）を第1タームとし、後半（7～12章を覚える期間）を第2タームとします。

これらの期間の役割は**「記憶の土台づくり」**です。前半と後半に分けているのは、この期間はかなり長くなるので、半分に区切ったほうがダレにくいからです。

次に全体を通して3周しますが、この期間を第3タームとします。役割は**「記憶の完成」**です。「記憶の土台づくり」で頭に入ったことがらを、今までよりは早い周期で呼び起こし、全範囲をむらなく、しっかり定着させます。

このように3つのタームに分けた場合、各タームの期間は、全期間を均等に配分するとうまくいくことが多いです。全期間が12ヶ月の場合ですと、各ターム4ヶ月ずつということになります。「記憶の土台づくり」の期間は、覚え始めで知識がなかなか頭に入らないので、2タームあてています。それに比べて、「記憶の完成」の期間は、すでに一度頭に入れた知識を呼び起こす作業で、比較的スムーズに進むため、1タームのみの割り当てにしています。

このように、**「記憶の土台づくり」に2ターム、「記憶の完成」に1ターム割り当てることを、「2：1ルール」と名付けています**（図2・5）。この2：1ルールも、先の11周と同じく目安であることを忘れないでください。例えば、興味の強い分野では、一度知識を頭に入れてしまえば、他の分野より忘れにくいこともあります。そういう場合は、記憶の完成の期間はとても短くてすむので、3：1などに設定します。

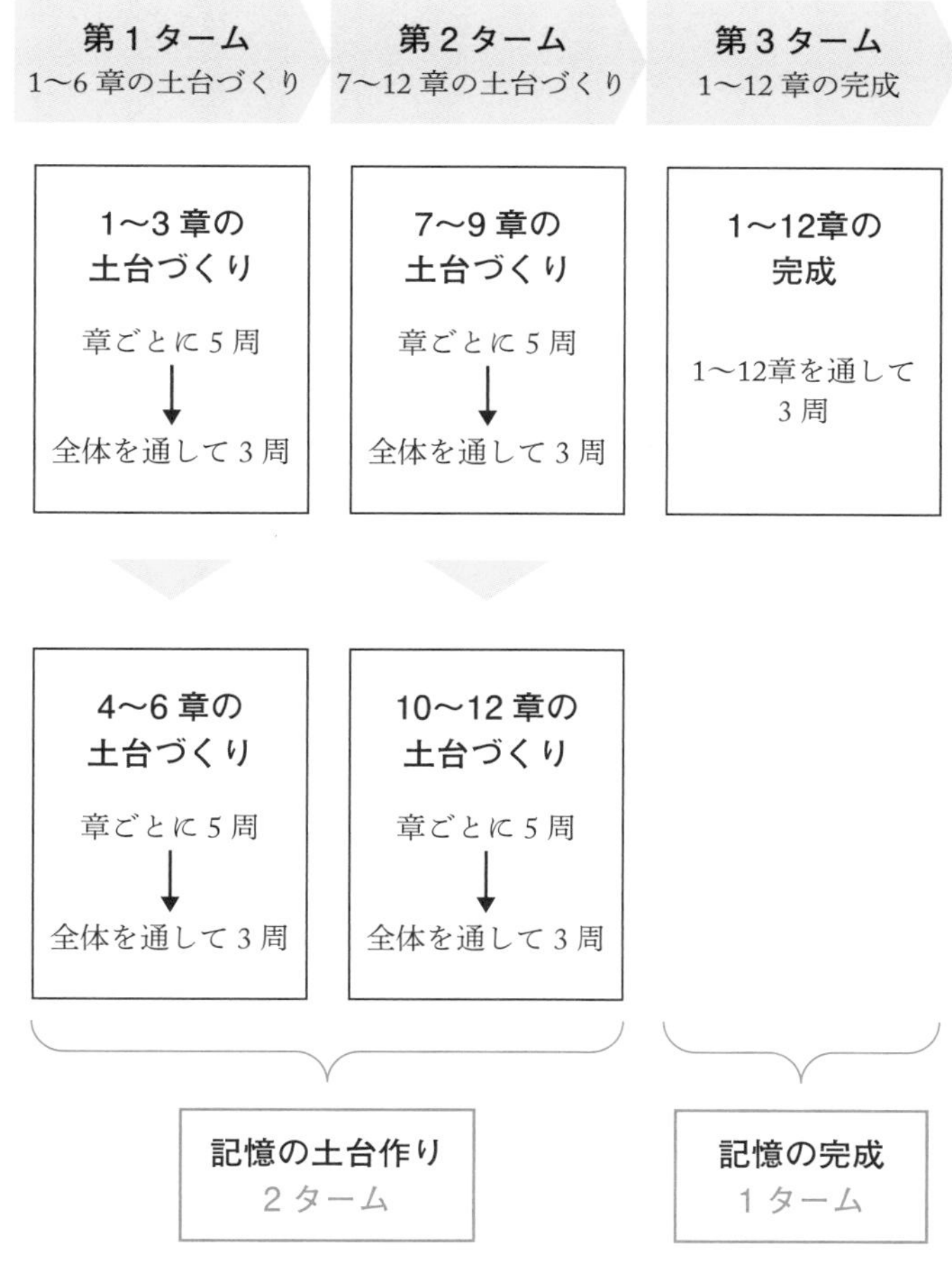

図2.5 「2:1ルール」を使ったスケジュールの立て方(全体像)

◆第1タームを細かく計画する（月→週→日へ）

ここからは、直近の各月、各週に何をすべきかを決めていきます。ポイントは、**直近の期間ほど、細かくタスクを決める**ということです。直近の期間は予定も比較的明確で、細かくスケジュールを立てやすいですが、数ヶ月以上先の話となると、予定もわからず、精緻に計画してもその通りにならないことが多いです。そればかりか、一旦立てた計画を無理に遂行しようとして、雑になったり、挫折したりする原因になります。ですので、勉強をやり始めるときは、第1タームについては、いつ何をするか細かく決めますが、第2タームや第3タームといった遠い時期については、あえて細かいところまでは決めずに置いておきましょう。細かく決めるのは、第1タームの終わりが近づいて来てからで良いでしょう。

それでは、第1タームのスケジュールを細かく決めていきます。1タームに割り当てられた期間は4ヶ月でした。この4ヶ月で、1〜3章の暗記と4〜6章の暗記をするので、それぞれ2ヶ月（≒約9週間）ずつかけられるということになります。先にも述べた通り、1〜3章の暗記は、「記憶の土台づくり」として、各章を5周繰り返す作業と、1〜3章を通しで3周繰り返す作業があります。**前者は本当に初めての知識を頭に叩き込む「土台の土台づくり」であり、後者はその知識をむらなく定着させる「土台の完成」の役割を持っています。ここでも、「2：1ルール」**

を適用します。すなわち、作業量の重さを勘案して、前者に後者の2倍の期間かけるので、前者に6週間、後者に3週間かけることになります（図2・6）。

さらに前者の6週間について細かく計画立てていきます。ここで、前項で説明した、**忘却曲線を意識して暗記スケジュールを立てる方法を使います。**一度、6週間の期限を気にせず、自分の忘却曲線をベースに計画を立ててみてください。自分の記憶保持率が3割以下になるのは7日だから、7日以内に同じ範囲を復習するぞ、といった具合です（図2・4参照）。そして、でき上がった計画にかかる日数が、6週間から大きく乖離していたら、暗記する日と暗記する日の間隔を縮めたり伸ばしたりして調整してください。

後者の3週間については、一旦知識が頭に入った状態なので、忘却曲線を気にせず一定のペースで進めます。3週間で3周するので、1週間で1周です。仮に1周が70ページなら、70ページ÷7日で、1日10ページのペースで進めることになります。

◆進み具合いの確認は3～4日おきに行おう

計画を立てた後は、計画通り進めなくてはいけません。計画を崩れにくくする秘訣をお話しし

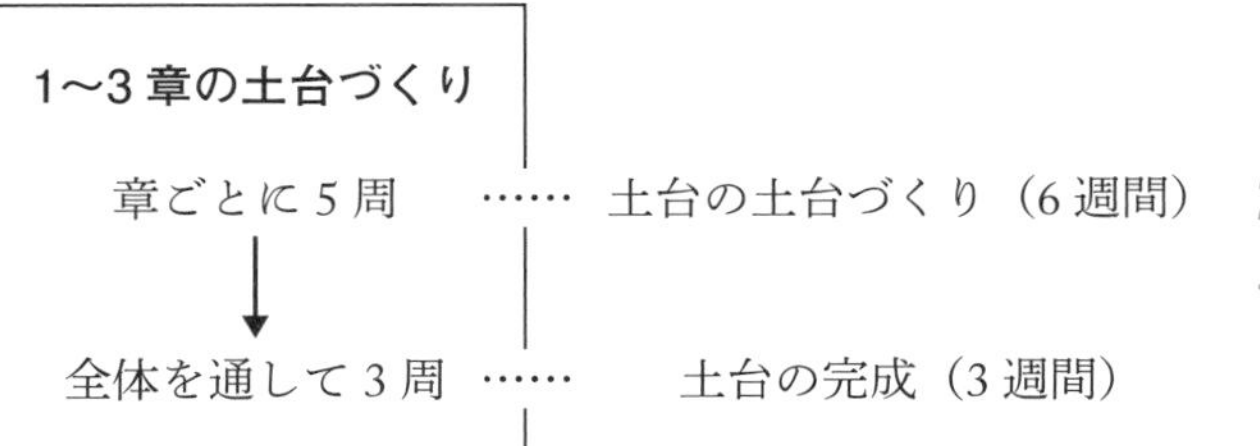

期間は一例。「土台の土台づくり」の期間と、
「土台の完成」の期間の比を2：1にする

図2.6　「2：1ルール」を使ったスケジュールの立て方（1〜3章）

ましょう。しかし、実は1〜5周目については、そもそも柔軟な計画になっているので特段の工夫はいりません。**暗記する日と暗記する日の間に、数日間待ちの期間がある**ので、たとえ決めた日に勉強できないことが発覚しても、その前後の日に勉強すれば良いだけです。ただし、当然勉強する日をずらしすぎるのは禁物です。忘却曲線を意識して計画を立てたはずなので、ずらすのは多くても前後1日にするのが望ましいです。

計画が崩れやすいのは6周目以降です。というのも、6周目以降は日々進めるページ数が決まっています。こういう状況で計画通り進める秘訣は、毎日進み具合の確認をするのではなく、**週の半分、つまり3日から4日程度おきに確認する**ということです。

例えば、毎日進めるべきページ数が10ページだとしましょう。１週間に進めるべきページ数は10ページ×７日で70ページとなります。ですので、合計70ページになるように、週の前半（月曜日〜水曜日）で何ページ進めるのか、そして週の後半（木曜日〜日曜日）で何ページ進めるのかを決めます。**機械的に日数×10ページとするのではなく、業務の忙しさや、プライベートの予定などを勘案して、前半と後半でそれぞれ何ページずつ進めるのか決めましょう。**そして、週の前半が終わったときに、予定のページ数が進んだのか確認します。週の後半が終わったときも同様です。

これ以上細かくは管理しないのがポイントです。１日のタイムスケジュールなんてものは書きません。仕事やプライベートの予定もきっちり反映して、完璧なタイムスケジュールを細かく書いても、実行できない場合がほとんどです。不測の予定が入ることもありますし、僕たちはコンピュータではないので、どうしてもやる気が出ず全然進まないときもあります。このように、緻密に決めすぎると、簡単に崩壊してしまう計画となります。ですので、僕の経験上、３〜４日おきに進めるページ数を決めるくらいが、緻密さと柔軟さのバランスを取れるやり方だと思っています。

POINT

スケジュールを決めるときは、まず大きく3つのタームに分け、「記憶の土台づくり」に2ターム、「記憶の完成」に1タームをあてる。これを「2：1ルール」と呼ぶ。進捗確認をするのは、3～4日おきにして、不測の事態に柔軟に対応できる余裕を持っておく。

「2：1ルール」を使った「暗記系科目」の勉強スケジュール例

ここでは、僕が大学受験時に立てた勉強計画を例に、より具体的な計画のイメージがわくように説明します。まずは暗記系科目の勉強スケジュールとして、「世界史」を例にとって話します。

◆目標とする成績を達成可能な参考書を選ぶ

僕にとって、世界史はセンター試験（今は共通テストに名称変更）にのみ必要だったので、センター試験用の参考書を使って勉強しました。先にも書いた通り、センター試験用の参考書として、**試験によく出る知識がギュッと詰まった1冊を見つけた**ため、その1冊を完全にマスターして、あとは模試や過去問演習をする中で、その参考書に掲載されていない周辺知識を積み上げていけば、目標点数は取れそうだと思いました。辞書的参考書として使用したのは、教科書と資料集です。これらに掲載されていない細かい内容は、センター試験にはほぼ出ないので、潔く切り捨てました。

僕が目標にしていた点数は100点中90点で、参考書をマスターしたら70点は取れそうでした。この予想にはしっかり根拠があって、参考書を選ぶときに、掲載されている知識と過去問を照らし合わせて、参考書の知識をすべてマスターしたら何点取れるのか、数年分確かめました。この参考書をマスターした状態から、模試・過去問演習を繰り返せば90点くらいまでは伸ばせると思いました。

◆残された時間から現実的な日々の計画に落とし込む

僕は高校2年までは世界史については学校の勉強以外何もしていなかったので、世界史の勉強を本格的に始めたのは、高校3年の4月、センター試験まで約10ヶ月という時期でした。

それまではセンター試験模試では、世界史は30～40点くらいの点数でした。模試を受けたときに学校で習っている範囲の問題が運よく出れば答えられる。けれど、ほかの範囲の問題は勘で解答するという状態です。暗記科目が嫌いで高校3年まで着手せず、内心かなり焦っていました（焦りが頂点に達して本屋に行って計画を立て、まだ間に合うとわかったときの安堵感は相当なものでした）。

大まかな計画は、**最後3ヶ月間は問題演習を繰り返す時期にあてたいので、それまでの7ヶ月**

間（＝約210日）で参考書をマスターするというものでした。

ここからどんどん計画を細かくして、1日の作業量に落とし込んでいきます。少し計算も入ってきますので、ご自身でも計算しながらゆっくり読んでみてください。

僕の選んだ参考書は12章で200ページくらいだったと思いますが、計算しやすいようにここでは210ページだったとします。

まず全期間を3等分し、3タームに分けます。すると、**第1タームは70日となり、この間に全体の半分（＝6章分）程度を覚えます。第2タームでは後半を覚えて、第3タームでは全章を繰り返し、記憶の確認と定着を図ります。**「記憶の土台づくり」に最初の2タームを割り当て、「記憶の完成」に次の1タームを割り当てるという「2：1ルール」に則っています。

第1タームの70日間では第1章から第6章を覚えますので、第1タームの前半で第1章から第3章を、後半で第4章から第6章を覚えます。ですので、第1章から第3章を覚えるのに割り当てられる期間は70÷2で35日となります。その中で、まずは各章をそれぞれ5周繰り返し、それが終われば第1章から第3章を通して3周します。前者のほうが時間がかかるので、各章をそれぞれ5周繰り返す作業に24日、3章分通して3周する作業に11日を割り当てます。大体、前者と

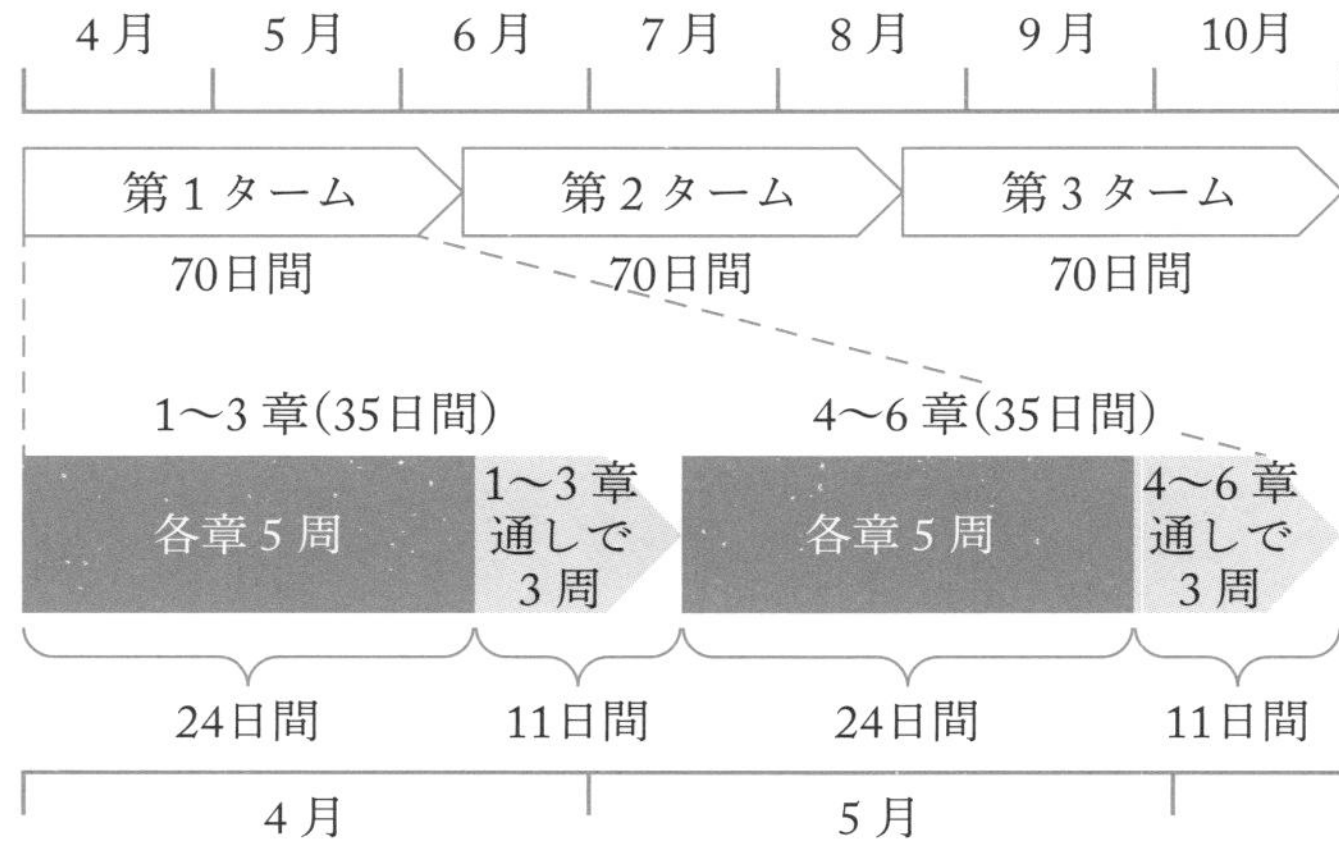

図2.7　世界史の勉強計画

後者のページ数の比が2対1になるように計画すればうまくいくことが多いです。これも「2：1ルール」ですね。(図2・7)

最初の24日間で第1章から第3章をそれぞれ5周するという計画が立ちました。ここからは、忘却曲線を意識してベストなタイミングで繰り返せるように計画をより詳細にしていきます。「図2・4　5周目までのスケジュール例」のように、一旦期限を考えず、自分の忘却曲線を意識して計画を立てます。その後、24日間で終わるように、勉強する日と勉強する日の間隔を調節します。

こうして**1日の勉強量に落とし込んだ後は、その勉強量にかかる時間を実際に測って、計画が現実的かを検証します。**例えば、初日は第1

章の1〜3周目（黙読・音読・暗記作業）をしますが、これにかかる時間を休日などに一度測ってみます。1〜3周目では、参考書を読んでいて前後のつながりや地理的な動きがわかりにくいところは、逐一教科書・資料集で調べるので時間がかかります。でも、休日に取り組めば1日で十分終わったと思います。ほかの科目の勉強を考えても無理なく確保できる時間だったので、現実的だと考え、この計画でイケると思いました。

◆計画を忠実に実行する

あとは計画通りに実行するだけです。第1タームで70日間使い、第2タームでも70日間使って、**参考書をひとまず覚えたかな、と思えた時期が8月半ば**です。ここから第3タームの70日間で、全章を素早く繰り返して、全章まんべんなく知識が定着するようにします。

第3タームでは、参考書全体の約200ページを3周するので、のべおよそ600ページ進めることになります。すると、1日に進めるべきページ数は、600ページ÷70日で、約9ページとなります。

覚えるべき単語を赤シートで見えなくして、答えながら読み進めていきます。答えられなかったところは印を付けておき、後で再度答えられるか確認します。毎日9ページを覚えると聞くと、大変な量に感じるかもしれませんが、もうすでに8周して、かなり頭に入っている状態ですので、答えられるものが多く、意外とすぐに終えることができます。毎日1〜2時間程度で終わりました。

こうして、**10月終わり頃には、参考書を完璧にマスターしました。**その時点でセンター試験模試の世界史の点数は70〜80点というところで、**予想通りの水準まで点数が上昇した**ことが心地よく、この記憶はよく覚えています。

そこからは、週に2〜3本、センター試験の過去問や過去の模試を使って、実戦問題演習を繰り返しました。本番同様、1時間で問題を解いて、翌日に間違った箇所について解説を見ながら、自分に足りない知識を特定します。その知識が参考書に掲載されていなければ、参考書に書き込みました。書き込んだ箇所は週末にまとめて再度覚え直しました。これだと、書き込んだ知識については、暗記作業の繰り返し回数が少ないように感じられますが、よく出る知識は問題演習をする中で何度も出てくるので、自然と繰り返し頭に刻まれることになります。こんなことを続けていたら、年末年始頃には過去問や模試で、安定して90点以上取れるようになっていました。

本番の点数はかなり良くて、満点ではないものの、それに近い点数だったと思います。自己べストが出せたので自分でも驚きました。このように、**繰り返しを見込んである程度細かく、でも柔軟性を持った計画を立てて忠実に実行すれば、望む成果が得られる**はずです。一番難しいのは計画どおり忠実に実行するためのやる気の維持ですが、これについては本章の〈戦略3〉の「大量の勉強時間を確保するためにモチベーションを整える」などを参考にしてみてください。

POINT

世界史を例にとって、実際のスケジュール例を提示した。参考書をマスターするのに7ヶ月、問題演習に3ヶ月かけることとした。最初の7ヶ月については「2：1ルール」に基づいて、さらに細かい計画を立てた。計画を忠実に実行し、目標点数にたどり着くことができた。

「思考系科目」の勉強スケジュールの例

前項では、暗記系科目の勉強スケジュールとして、世界史を例にとって説明しました。次は、思考系科目の勉強スケジュールとして、僕の大学受験時の「数学」を例に、具体的に説明していきます。

◆ボトムアップ型の計画づくり

僕は中学入学時点から、東大に入ろうと燃えていたため、いつから大学入試の勉強を始めたかという線引きが難しいですが、きちんと計画を立てて東大入試で戦える力を付けようと決意したのは中3の頃だったと思います。通っていた中学が進学校だったので、中3の初め頃から高校数学の範囲に入りました。それを機に、自分でさっさと高校数学を終わらせて、東大に向けて勉強をしようと決意して計画を立てました。この時に立てた計画では、高校2年半ばまでに東大に合格できる力を付けよう、というものでした。

まずは取り組むべき参考書や問題集を決めていきますが、学校から青チャート（表紙が青色の「チャート式」という本）が配られていました。本屋に行ってほかの本とも比べましたが、これは典型的な問題の解法が網羅された良著だと思い、まずはこの本を繰り返して標準的な解法を覚えようと思いました。これまでの話の中で、1冊目は簡単な薄い本を選んで素早く回すべしということを書いたので、いきなり青チャート（600ページ以上ある分厚い本）をやるのは、その選び方に反しているのでは？と思うかもしれません。でもそれまでの数学の学習の中で、高校の範囲の内容にも触れながら勉強してきたので、ある程度基本的なことはわかっている状態でした。だから、本来は2冊目に取り組むべきようなこの問題集にいきなり取り組んでも十分理解できたのです。そういうわけで、1冊目から青チャートに取り組もうと思いました。ただ、青チャート以上のレベルの本については、どれが良著なのか判断する力はまだなかったので、その次に取り組む参考書や問題集は決めませんでした。

このときは、今までご説明した、全体の期限から「2：1ルール」をもとにスケジュールを立て、1日のタスク量に落とし込む方法ではなく、ボトムアップ型の方法で計画を立てたと思います。**ボトムアップ型の方法とは、1日にかけられる勉強時間から計画を立てる方法**です。この方法で計画を立てた理由は、大学入試という最終的な期限までまだまだ時間があり、あまり期限を気にしなくて良かったからと、「可能な限り早く」高校数学をマスターしたいと思ったからでした。

また、先述の通り、僕はそれまでの勉強で、すでにある程度の高校数学の知識を持っていました。なので、初見の知識のように3日後にはかなり忘れてしまうということはなさそうでした。そのため、周回数は少なめに、復習タイミングもゆとりを持って設定したと思います。その計画をなんとか思い出しながら次に書いてみます。

皆さんも特に期限なく勉強をすることもあると思います。また、中断していた勉強を再開するときのように、ある程度の知識を持っている状態で勉強を始めるということもあると思います。そんなときの計画の作り方として参考にしてください。

◆典型的な解法を完璧にする

当時、大学受験のために数学を勉強する時間は（学校の勉強とは別枠で）、毎日1〜2時間程度確保することができました。実際に問題を解いてこの時間で進められるページ数を確認すると6ページだったので、1日6ページ進めることにしました。このように、ボトムアップ型の計画を作るときは、**まず1日に進めるページ数を決めます。**

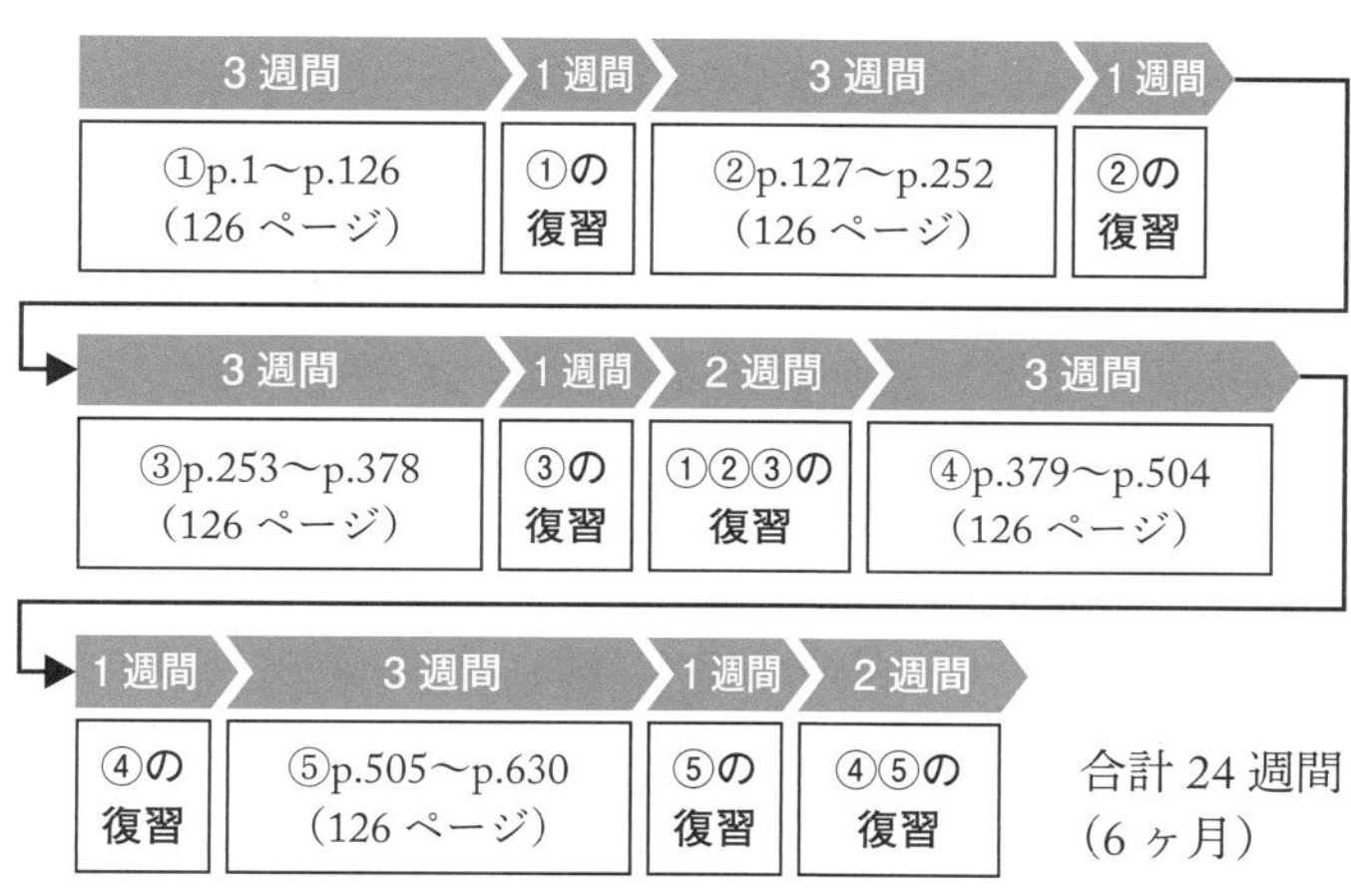

図2.8　チャート式1冊を勉強する計画例

1日に進めるページ数を決めた後は、**マスターすべき全体の量を把握**しなければいけません。ご存じの方も多いと思いますが、数学と一口に言っても、理系は数学Ⅰ・A、数学Ⅱ・B、数学Ⅲ・Cをやる必要があり、チャート式ではそれぞれ1冊、合計3冊マスターする必要があります。3冊の合計ページ数は2000ページほどです。これだけ聞くと、マスターするのに途方もない時間がかかりそうな気がします。でもそんなときこそきちんと計画を立てて、終わるのにかかる期間を計算すれば安心することができます。

それでは、計画の立て方ですが、**1日に進めるページ数をもとに、何度か復習する期間も考慮して計画を立てます。**僕の数学の例ですと、次のように計画しました。1日6ページ進めるとして、3週間（＝21日）で126ページ進めます。次の1週間は、直前の3週間で進めた分を再度やり直します。これを繰り返して1冊の半分程度終わったら、そこまでの範囲を2週間かけてやり直します。1冊をおよそ630ページとすると、大体6ヶ月で1冊を終える計算です（図2・8）。全部で3冊あるので、3冊終えるのに18ヶ月、つまり1年半かかります。

ちなみに数学では、2周目以降は一題一題きちんと解くのではなく、問題を読んで、解法の手順を言えたらその問題は解けたものとしました。わかっている問題に時間をかけるのは無駄なので、このような方法で進めました。ただ、ここでも自分に甘くならないように、少しでも怪しいところがあれば、その問題についてはきちんと解き方をノートに書いて確認しました。

青チャートを終えた時点では、典型問題の解法を覚えただけなので、そこからさらに、東大レベルの問題まで解けるように、難しい問題演習を繰り返さなければいけません。その期間は、それまでの僕の勉強経験からくる予想でしたが、大体1年見ておけば十分かと考えました。ですので、数学の計画を立てたときは、大まかに言えば、半年ごとに青チャートを1冊、合計3冊を1年半で終わらせて、その後は1年くらいかけて東大レベルの力を付けるための問題演習をしていこうと思いました。

計画を立てたら、忠実に実行していくのは僕の得意とするところで、順調に1年半で青チャート3冊を終わらせることができました。

◆思考力を東大レベルに引き上げる

その後は、東大レベルの力を得るため、次の問題集を選びに本屋に行きました。ある程度数学の力が付いているので、東大入試の過去問を見ながら、足りないものは何か考えることができます。典型問題の解法を覚えた今、次に取り組むべき問題集は、**即興思考力（初見の問題を考えて解く力）を鍛えるための問題集**です。本屋で「あれでもない、これでもない」と悪戦苦闘しながら、ハイレベルな問題集を複数選びました。

すでに述べた通り、即興思考力を鍛えるための問題は、解法をガッツリ暗記することにあまり意味はありません。3周を目安として進め、2周目以降は間違った問題のみ繰り返しました。

即興思考力用の問題集を完了するための計画を立てるのは簡単で、まずは**1題解くのにかかる「平均時間」と、自分が実際に解く「のべ問題数」をかけて、必要な勉強時間の合計を計算します。**

例えば、試しに10題解いてみて、解くのにかかった時間が100分、間違えた問題が3題だったとします。1題あたりにかかる時間は100分÷10題で10分です。間違えた3題については、あと2回繰り返し解くので、のべ６題分が解く問題数に追加されます。１周目の10題と合わせると、のべ16題解くことになります。ここで、全体の問題数が例えば１００題だったとすると、のべ１６０題程度解くだろうと予想がつきます。すると、参考書を終えるのにかかる時間は10分×１６０題で１６００分となります。このようにして、**それぞれの本を終わらせるのにかかる時間を算出し、毎日の勉強時間で割れば、必要な日数を計算できます。**

こうして計算すると、これらの本を終えるのにかかる時間が、合計1年くらいという結果になりました。

実際に1年かけてこれらの本を終えた僕は、東大の過去問でも十分に点数が取れるレベルになっていました。それからは東大入試の過去問を解いたり、東大模試の過去問を学校の先生に大量にもらって解いたりして、ハイレベルな演習を続けながら、力の維持を図りました。

POINT

試験日がかなり先だったり、試験そのものがない場合は、ボトムアップ型の計画作成が有効。１日に進められるページ数と、参考書全体のページ数から、必要な日数を計算する。思考系科目の計画作成では、典型的な解法を身に付けてから即興思考力を鍛えるという、２段階の計画を作成しよう。

yokkoの大学受験時代の1日

起きている時間は常に勉強していた受験時代

スケジュールの話の最後として、僕の大学受験時代の1日のスケジュールをご紹介します。非常に簡単にまとめてしまうなら、**起きている時間はほぼずっと勉強していました。**日々の勉強で全力を出し切らずに東大に落ちてしまったら後悔してもしきれない。一片の悔いも残したくない！という思いが常にありました。ただ、僕のYouTube動画を見た方はご存知だと思いますが、当時僕には彼女がいたので、彼女とはたまに会っていました。2週間に1回数時間くらいの頻度だったかと思います。ですが、それ以外の時間は妥協なく勉強し続けました。休憩についても、勉強のパフォーマンスの改善という目的のため最低限必要なだけにとどめ、自分へのご褒美的な休憩や遊びというものはありませんでした。今日も精一杯やり切ったという寝る前の達成感が、自分への最高のご褒美でした。

でも大学受験生なら、起きている時間はずっと勉強というのが当たり前だと思うので、そんな

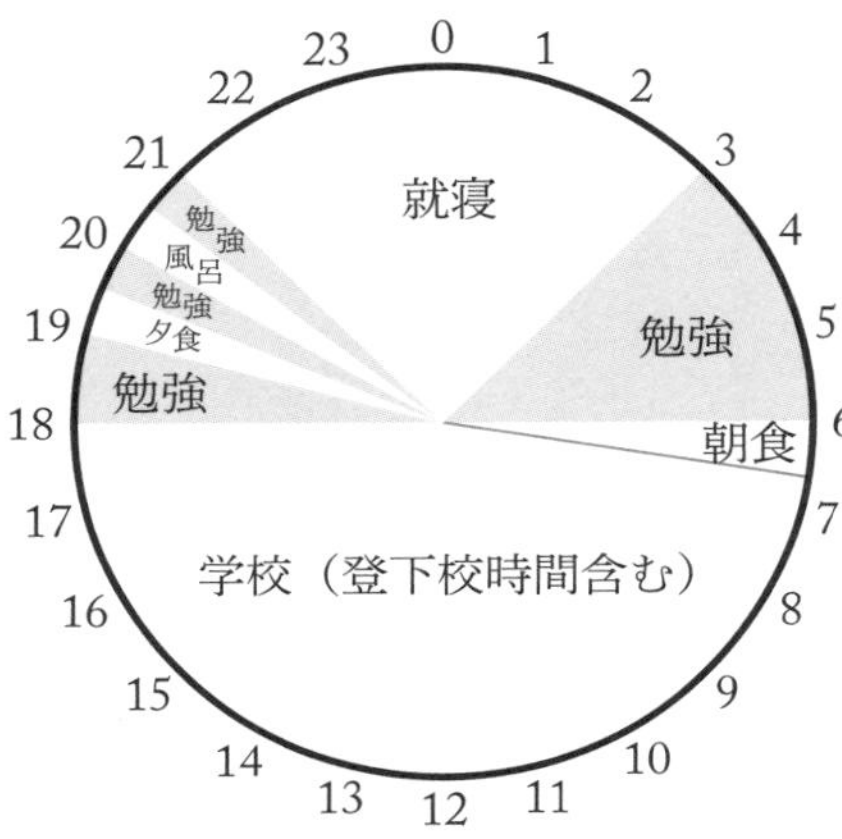

図2.9　平日のスケジュール例

に変わったスケジュールではないとは思います。皆さんも、勉強に必死だった大学受験時代はこんなに勉強してたよなぁ、とご自身と重ね合わせて、モチベーションを上げるきっかけにしていただければと思います。

✦ 平日は朝3時に起きて、学校以外ずっと勉強

後で詳しく述べますが、僕は朝の時間を大切にしていて、**朝3時頃に起きて、勉強する**ことが多かったです。3時に起きて、少し炭水化物を食べて脳に栄養を補給し、すぐ勉強します。6時頃まで勉強してから、朝食をすませてその後は学校に行く準備をして、6時半頃に家を出ます。登下校中の電車の中はもちろんのこと、

歩きながらも頭の中で昨日や今朝覚えたことを繰り返して勉強していました。

18時頃に帰宅して、一息も入れずにすぐ勉強します。19時から30分ご飯で、19時半から30分また勉強し、20時からお風呂に入りますが、お風呂の湯船の中にも参考書を持ち込んで暗記をしました。風呂場の湿気で参考書がよくヨレヨレになったものです。20時半頃にお風呂を上がって、またすぐ勉強。21時まで勉強して就寝です（図2・9）。これだと睡眠時間は6時間ということになりますが、毎日6時間睡眠だと体がもたないので、疲れが溜まっているなという日は朝4時起きにして、睡眠時間を確保しました。**自分の集中力は常に意識していて、眠くてちょっとパフォーマンスが落ちてきたなと思ったら、10分間机に突っ伏して寝る**ということは適宜行っていました。

1日の勉強時間は、学校以外では家で5.5時間、登下校中に2時間で、合わせて7.5時間ということになります。

◆休日も朝3時に起きて、寝る直前までずっと勉強

休日も変わらず朝3時に起きて勉強することが多かったです。休日だからと言って起きる時間を遅くしてしまうと、平日にまた早起きするのがとてもつらくなって、起きられない可能性が上

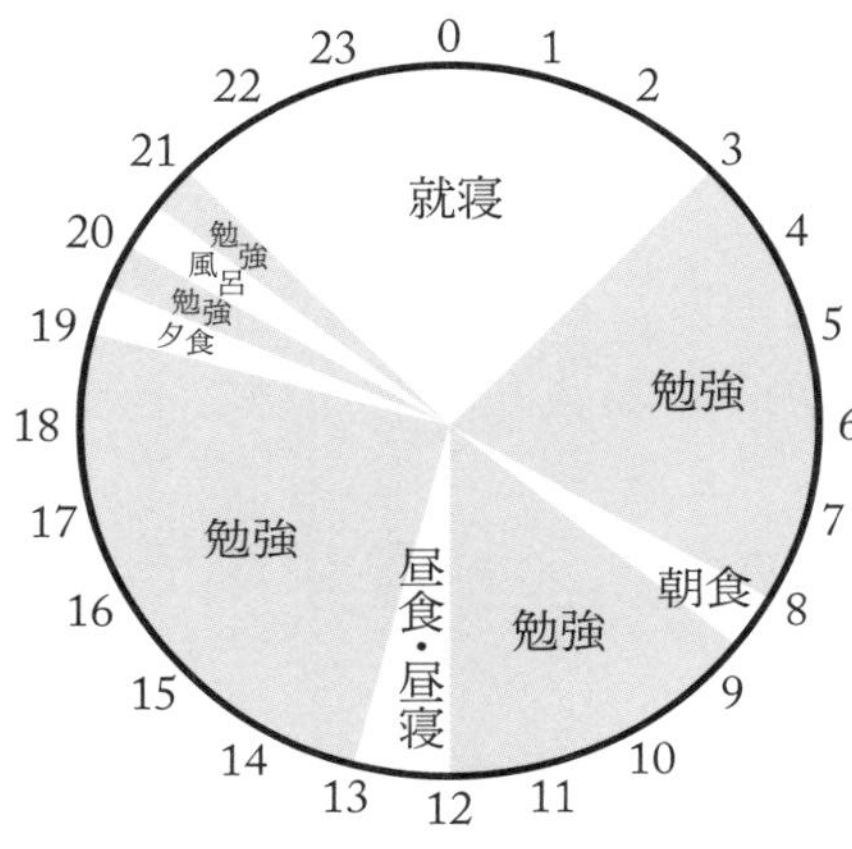

図2.10　休日のスケジュール例

がってしまいます。

朝8時頃まで勉強して、8時半まで朝ごはんを食べ、そこからまた12時頃まで勉強して、12時半まで昼ごはんです。朝が早いこともあり、昼ごはんを腹一杯食べると眠くなるので、30分ほど昼寝します。そして13時から冴えた頭でまた勉強を始めます。**疲れたなと思ったら適宜5分以内の休憩**を取りました。3時間ぶっ続けでやるときもあれば、30分で休憩を取るときもありました。自分の集中力がちょっと落ちてきたなと思ったら、その段階で休憩を挟みます。そうして19時まで勉強し、19時半まで夕食を食べた後、30分勉強します。20時から風呂に入ったり寝る準備をし、20時半からまた30分勉強して、21時に就寝です（図2・10）。

1日の勉強時間は16時間ということになりま

す。

◆頭の疲れ具合によってやる科目を分ける

寝る前に暗記科目をやると良いとよく言われますが、僕はそのことはあまり意識していませんでした。自分の経験から、寝る前にやったことがよく記憶に残ってるなという感覚を持てなかったからです。

僕が意識したことは、頭の疲れ具合によってやる科目を分ける、ということです。眠いときに数学の難問なんて解けません。だから、全然眠くなく、頭の疲れがない状態のときに数学などの思考系科目を勉強するように心がけていました。

そのため、朝起きた直後に思考系科目をやることが多かったです。僕は寝覚めが良いほうなので、起きた直後は眠気もないし、脳もまっさらな状態なので非常に頭が冴えています。思考系科目を勉強するのに最適です。

一方で、休日に朝ごはんを食べた後などは、早朝から勉強した後だし、お腹も膨れて少し頭が鈍ってしまいます。そんな時は暗記系科目を勉強しました。暗記系科目は、参考書の文章を理解する必要はあるものの、思考系の科目に比べれば、何段階も深掘って考えるものではないので、多少頭が疲れていても学習スピードはあまり落ちません。

こんな風に、自分の頭の疲れ具合によって、やる科目を変えていました。**頭が最高に冴えている時間というのは貴重なので、そういうときを逃さずに思考系科目に取り組むのが大事です。**この本は僕の初めての本ですが、文章を書くという行為がかなり頭を使うことだと実感してからは、朝起きてすぐに本を書き進めるようにしました。

POINT

大学受験時代は、起きている時間はほぼ常に勉強していた。いつも自分の集中力には気を付けて、昼食の後は昼寝をしたり、少し集中が落ちてきたと感じたら、5分以内の休憩を取ったりした。また、頭が冴えている時間に思考系科目に取り組んでいた。

戦略3

大量の勉強時間を確保するためにモチベーションを整える

自分の心に嘘をつかない本物の目標の見つけ方

僕は中学受験を志した日から懸命に勉強しました。中学以降も大学受験に向けて勉強しましたし、大学以降も、大学の勉強はもちろんのこと、プログラミングや英語、その他仕事で使うスキルなどを身に付けるために、常に多くの時間を勉強にあててきました。それは、**勉強時間を大量に確保できることこそが、自分の強みだと理解していた**からです。もちろん勉強が面倒だと思うときもあります。でもそういう弱い気持ちになんとか打ち勝って、これまで勉強を続けてこれました。この〈戦略3〉では、どうやって僕が高いモチベーションを維持して大量の勉強時間を確保しているのか、その秘訣について話していきたいと思います。

◆自分の中に眠る負の感情と向き合う

「目標を設定しろ。そうすればやることが明確になり、モチベーション高く進んでいける」そんなことがよく言われます。でも僕からすればそれは間違いで、目標というものは、1ヶ月や2ヶ月考えたからってそう簡単に見つかるものではありません。仮に、見つけようと思ってそんな短期間で見つかったとしたら、それは思い込みだと思います。本心からではなく、自分の心に嘘をついて作った、かりそめの目標です。ちょっと苦難にあったら簡単に吹き飛んでしまうでしょう。

そうではなく、**目標というものは、今まで生きてきた何年もの中で積み重なってきた感情、性格、そういうものをもとに、目の前のことに一生懸命取り組んで見つかるもの**なんです。それこそが、自分の心の底から納得できる目標なんです。

僕自身、小学生の頃から、将来なりたいものを書いたりはしていましたが、今思えば、心の底からなりたいものなんてありませんでした。その時々に、親や近くの大人の考えになびいて考えついたものです。あるいは、ちょっと大きなことを言って、周囲の注目を浴びようとしたこともあります。でも、本気でなろうと思っている姿なんて特にありませんでした。

そんな僕に、明確に将来の目標ができたのは、中学受験に落ちたときでした。悔しくて悔しくて、その時に本気で、心の底から、東大に合格してこの雪辱を晴らすと力強く誓ったんです。じゃあ、僕が中学受験のために懸命に勉強していたモチベーションはなんだったのかと疑問に思う方もいるでしょう。

それは自分の存在証明でした。僕は幼い頃は何もできなくて、**幼稚園では周りの子と比べて、できない自分に絶望してよく泣いていました。何より、どんな分野でも兄より上達の遅い自分に負い目を感じていました。**そして何もできなければ、家族以外は誰も自分のことを気にかけてはくれません。いてもいなくても同じような扱いをされてしまう。実際、周りの人がそんなひどい扱いをしていたとは思いませんが、自分の能力に絶望していた自分は、対人関係もネガティブにとらえてしまって、そういう風に感じていました。

でも先にも書いたように、**勉強を長期間続けると兄にも勝てたし、学校の誰にも負けないようになりました。**そしてもちろん、周りの大人も友達も、僕を称賛してくれました。ここに**自分の存在意義を見つけた気がしました。**

小学校時代に、とても心に残っているできごとがあります。数週間後に校内で二重跳び大会が開催されるという時期でした。学校の授業で初めて二重跳びというものを知って、授業中に僕もやってみましたが、せいぜい2～3回しか跳べません。でも運動神経の良い子は10回、20回とすぐに跳べるようになっていました。その子たちはみんなの注目を集めて喝采を浴びていました。それを見た僕は、もし二重跳び大会で校内1位になったら、どれほどの喝采を浴びるのか…と想像するだけでドキドキしました。

その日から、仲の良い友達を誘って、学校から帰ったらすぐに公園で2人で秘密の特訓をしました。毎日、毎日、跳び続けていると、ある時からコツがわかって、ぐんぐん跳べる回数が伸びていき、大会の前日は100回以上跳べるようになっていました。そして大会当日、そんなに気合を入れて練習してる人はほとんどいないから、100回以上跳べたのは僕だけでした。結局160回という記録で一躍校内のスターになった僕は、強烈な快感を得たのを覚えています。

こういう経験から、**無力な自分には誰も目をかけてくれないけれど、人よりも何倍も頑張って結果を出せば、それで初めて、僕という存在が許される**という考えに至りました。そして僕の一番得意なものは勉強でした。なので、勉強を誰よりも頑張り、そして結果を出すことが、僕の生存許可証のように感じていたんです。

だから、僕が地元で一番難しい中学を目指すのは自然でした。しかし、中学受験勉強を始めてからは、塾の同じ校舎という狭い世界にすら、自分より勉強に秀でた者がいました。そんな状況に甘んじている自分が心底許せませんでした。だから懸命に目の前の勉強を頑張りました。

ここまで強烈に何かに囚われている人というのはなかなかいないと思います。でもここでお伝えしたいのは、僕の劣等感のような、これまでの人生で積み重なってきた自分の性格、感情、**特に負の感情に目を向けてほしい**ということです。誰しも自分の中に、「馬鹿にすんなよ」とか、「なんでこんなに孤独なんだ」とか、そういう負の感情があるはずです。そういう負の感情から目を背けずに、ガッツリ向き合ってください。きっと心底嫌な気分になるでしょう。でもそこから、なんとしてもその負の感情をひっくり返してやるという方向に感情のベクトルを向けることが、強いモチベーションにつながるんだと思います。

◆目の前のことに懸命に取り組めば、本物の目標が見つかる

そうしてまずは今取り組んでいることに一生懸命になってください。そうすれば、その中で自然と次の目標が見つかると思います。ここで1つ注意しておきたいのは、**負の感情をもとにしたモチベーションというのは、続けるうちに精神的に苦しくなってきます。**例えば僕の例ですと、自分の存在証明のために必死に勉強をしていたので、もし勉強をやめてしまうと、自分は生きている意味がないということになってしまいます。だからこそ懸命に勉強するのですが、そんな命をかけて勉強し続けるのは3年も続かないでしょう。だから中学受験期の僕は限界でした。ストレスはマックスで、モノにあたって鉛筆をバキバキに折ったり、テキストを壁に投げつけたりし

て、自分の苛立ちを抑えながら、それでもなんとか机にしがみついて勉強していました。

でも中学に入ってしばらくして、こんなモチベーションでは長続きしないと思っていたのもあり、あるときふと、**自分の得意な物理で将来飯を食えたら楽しいだろうな、東大に行けばきっと面白い研究ができるだろうなと、モチベーションがポジティブなものに変わった**んです。自分が好きなものと将来の夢がつながった瞬間でした。

こんな風に、今やっていることに一生懸命取り組めば、自然と次の目標、あるいは将来の夢に気づくことができると思います。そうやってわき上がってきた目標こそが、自分の心に嘘いつわりのない本物の目標です。そしてその目標に本気になって取り組んでいるうちに、また次にやりたいこと、次の目標がどんどん浮かんできます。そんな本物の目標が、モチベーションの最大の源泉になることは言うまでもないでしょう。

POINT

まずは目の前のことに一生懸命取り組む。そのためのモチベーションは、自分の負の感情と向き合って、それをかき消してやるという気持ちを持つこと。そうやって何かに必死に取り組んでいると、次にやりたいこと、できそうなことがわき上がってくる。それこそが本物の目標である。

正の動機と負の動機を持つ

目標を達成するためには2種類の動機を持とう

目標に向かって進むとき、僕にはいつも2種類の動機がありました。正の動機と負の動機です。正の動機とは、何かを手に入れたい、成し遂げたいなどの前向きで積極的な動機であり、負の動機とは、何かを失いたくない、ここから逃げたいなどの後ろ向きで消極的な動機です。一般的には正の動機を持つことが大事だと言われていると思います。出世したい、新聞に載るような大きな仕事がしたい、という気持ちです。でも**実際に毎日勉強に駆り立ててくれるのは、負の動機**だと思います。今の合わない職場から逃れたい、この地位を失いたくない、などの気持ちです。負の動機が強い原動力を与えてくれるのは、頑張らなければ比較的近い未来にダメージを負うことが簡単に想像つくからです。例えば、今勉強をサボれば2〜3ヶ月後の試験でひどい点数を取るのは目に見えています。また、スキルを身に付けたり、仕事で語れる成果を出したりしなければ、近い将来良い条件で転職できなくて困るのは誰にでもわかることです。

◆負の動機が日々の強力な原動力となる

僕にとっても負の動機が、勉強をするための大きな原動力になっていました。元々、勉強で結果を出さなければ誰からも認めてもらえないという、一種の恐怖心で勉強を頑張っていたという話は、前項でお話しした通りです。その後、東大に入って面白い研究がしたいというポジティブな目標が芽生えますが、それでも、勉強しなければ、何者でもない自分に戻ってしまうという思いは残り続けていて、**長年かけて築き上げた「賢いyokko」という地位を失いたくないという負の動機が、日々勉強を頑張る力になっていました。**

また、僕がプログラミングというスキルを身に付けたときも、負の動機が大きな力になっていました。当時、僕はコンサルティング会社で働いていて、毎日12時間労働というような、それなりに業務量の多い職種でしたが、それでも毎朝3時間ほどプログラミングの勉強をしてから出勤していました。その正の動機としては、プログラミングのスキルを身に付けて、世の中をもっと便利にするITサービスを作りたいという思いがありました。しかし同時に、「早くこの労働環境から脱出したい」という負の動機も強く働いていたのです。だから、毎日、早朝に目覚ましが鳴り、「まだ出勤時間までは余裕があるから寝られる…寝たい…」と弱い自分に負けそうになるときでも、「ここで寝てしまったら、この労働環境を脱出するのが1日延びてしまう。それは嫌だろう自分！」と自分を奮い立たせて頑張ることができました。

このように、負の動機は大きな原動力となるものですが、負の動機をなかなか持てないという状況の読者もいると思います。取得したい資格がある、あるいは身に付けたいスキルがある。けれど、別にその資格やスキルの取得に失敗しても、大して痛くはない、という状況の方です。そういう状況だと、負の動機がなく、なかなかモチベーションを保つのは難しいです。

そんな場合は、**資格やスキルの取得に失敗したときに自分がダメージを受ける状況、つまり今自分が持っているものを失うような状況を自分で作り出してしまうのが有効です。**例えば「1年以内に資格取得を目指して勉強している」と、多くの友人に宣言するのは1つの手です。多くの人に言えば言うほど、もし期限までに取得できなければ、とても恥ずかしい思いをするでしょう。同時に、今のあなたの評判、信頼性というものが損なわれます。

僕も、中高時代は負の動機を強めるために、成績を常に公表していました。テストで答案が返却されるたびに、良い点数でも悪い点数でも何点だったと大声で叫ぶということをしていました。だから、悪い点数を叫ぶハメになりたくない、という思いが負の動機となり、僕のやる気になっていました。こんな風に、負の動機が持てないときでもなんとか作り出して、日々の原動力に変えてほしいと思います。

◆正の動機はブレないための羅針盤となる

負の動機が強い原動力を与えてくれると述べましたが、反対に、正の動機というのは、駆り立てるような強いやる気を与えてくれるものではありません。なぜなら、何かを手に入れたい、成し遂げたいという願望は、それが叶わなかったときでも、ダメージを負うことがないからです。確かに、欲しいものが手に入らないというもどかしさはありますが、それがなくてもそんなに困っている訳ではないので、勉強が苦しくなれば「まぁ頑張らなくても良いか」となりがちです。

例えば、給料が上がるからある資格を取りたいと思っている人がいます。でもその資格を取らなくても、現状それなりに生活ができている。そんな状況だと、仕事から帰って疲れているときに、勉強しなきゃなと思っても、「仕事頑張ったし、今日は良いか」と、頑張らないほうに簡単に流れてしまいます。

こう書くと、正の動機を持つことに意味がないように感じられるかもしれませんが、**正の動機にもしっかり役割があって、それは1つの目標に向かって努力を続けるための羅針盤としての役割です。**負の動機だけだと、苦しい状況から逃れ続けた結果、ブレブレの人生となり、頑張った割に誇れるようなことは何も成し遂げていない、ということになる可能性が高いです。イメージとしては、階段を一つ一つ上がり続けるような積み上げタイプの努力ではなく、ちょっと階段を上がったら、飛び降りてまた別の階段を登るというような、積み上げては崩すタイプの努力になります。それでは長期的に見て、満足できるような結果は残せないでしょう。

そこで、**正の動機を持っていれば、苦しい状況から逃れたくて頑張るときでも、努力の方向が正の動機に合っているか照らし合わせ、積み上げタイプの努力をするように意識することができます。**まさに人生の羅針盤です。

例えば、僕は中高、そして大学でも、東大で面白くてインパクトのある研究がしたいという思いを持ち続けていました。当時の僕にとって、それが勉強をする正の動機でした。中高は、人生の選択肢がまだ少ないから、仮にその正の動機がなかったとしても、「勉強ができるyokko」という地位を失いたくないという負の動機だけで、東大に一直線に進むことはできたと思います。でも大学生になってからは、人生の選択肢がグッと増えました。勉強するのがつらいときに、自分の将来につながりにくいが簡単に単位をもらえる授業を選ぶ誘惑に駆られる機会はいくらでもありました。また、東大は入学時には学部が決まらず、3年生に上がるときに学部が決まるシステムで、成績順に希望の学部を選べます。もちろん、成績が低くても入れる学部はあるので、勉強が大変だから成績が低くても入れる学部を狙うということもできます。どんな学部であっても東大ブランドは変わらない。賢い自分像を失うことはない。だったら、本来自分の行きたい学部ではないが、簡単に入れる学部で良いか…そう思うときも正直ありました。でも、そういうときこそ正の動機を思い出し、「いやいや、俺は偉大な研究をするんだ。だからそれに役立つ勉強をするべきだし、それができるような学部を選ぶべきだ」と踏みとどまり、積み上げタイプの努力を続けることができました。

このような羅針盤としての役割をしっかり機能させるためには、**正の動機は、ある程度長期間努力を続けることで達成できることを設定すると良い**でしょう。例えば、資格を取得するために勉強を始めるときに、その資格取得によって給料が上がるとしても、それを正の動機とするのではなく、もう少し遠くて大きなことの実現を目標とすべきです。その資格があるからこそ新たに任される業務がきっとあると思うので、その業務を担当して数年後、どんな成果を出したいかということを考えて、その実現に向かって進むのが良いと思います。

POINT

勉強をやり続けるためには正の動機と負の動機という2種類の動機を持つことが大事。何かを失いたくない、逃げたいという負の動機こそが、日々の勉強を続ける大きな原動力となるが、その努力を1つの方向に積み上げていくためには正の動機が必要となる。

とりあえず始めることでやる気は出る

✦やる気を出す前にとにかくやり始める

「やる気を出してからやり始めるのではなく、とにかくやり始めることでやる気が出てくる」という話は、よく聞く話だと思います。勉強が面倒だ、嫌だなと思っていても、その嫌な気持ちを押し切って、とにかく机に座ってテキストを開けば、その後は意外とすんなり続けられるものです。ですが、とにかく始めろと言われても、それが難しいんだよ、という方が多いと思うので、ここでは、僕が**「とにかく始める」ために意識していること**をお話しします。

方法① キリの悪いところで終わる

僕が「とにかく始めるために」一番意識していることは、勉強を毎回キリの悪いところで終わらせるということです。

「よ〜し、キリの良いところで終わったから今日はここまでにしよう」

これが、次勉強しようと思うときに、なかなかやる気の出ない一因になります。キリの良いところで終わってしまうと、スッキリ満足してしまって、その瞬間に一旦勉強から気持ちが離れてしまいます。そうすると、次に勉強を始めるときに、大きな気合いが必要になります。

一方、キリの悪いところで終わった場合を想像してみてください。問題集なら解けそうな問題を解いている途中、参考書なら説明文の段落の途中など。そんなところで勉強を強制終了すると、相当もどかしくなります。**このもどかしさが、勉強をやめた後でも、勉強に意識をつなぎ続けてくれます。**そうすると、次に勉強を始めるときに、すんなりと始めることができます。勉強をしていなくても、勉強への気持ちを完全には切らないことが大切なのです。

たとえ、あと1分あればキリの良いところまで終わる、という状況でも強制終了します。そうすると、次、家や自習室など勉強できる場所に来たときに、とりあえず1分勉強しようと思えます。そして1分勉強すれば、そのまま続けることはそんなに苦じゃないので、しばらく勉強を続けて、またキリの悪いところで強制終了します。そうすると、また次に勉強できる場所に来たときに、とりあえずキリの良いところまで進めようと思って、すぐに勉強を始めることができます。この繰り返しで、常に勉強への気持ちを切らないようにします。

方法② とても簡単なことから始める

とは言っても、時間の都合や、方法①を忘れてしまっていたりして、キリの良いところで終わってしまうこともあるでしょう。そうすると次に勉強を始めるときに多大なエネルギーが必要になります。

そのエネルギーをできるだけ少なくする方法を、方法②から④でご紹介します。1つ目の方法は、抵抗感が小さいことから始めることです。全然頭を働かせなくてもできることから始めましょう。簡単な計算問題、前回しっかり理解できたところの再読など、**とにかくテキストを開く行為につながれば、どんな些細なことでも良い**のです。たとえそれが、今日やる予定の範囲ではなくても良いです。それまでの勉強の中で、面白いと感じた部分があるなら、そこを再度サラッと触ってみるというのも良いでしょう。そうやって簡単なことから始めて、とにかく形だけでも自分を勉強する体勢にしてしまえば、その後本当に今やるべき勉強が少しつらいものであっても、そのまま続けて勉強しやすくなります。

方法③ 移動中にタスクを整理する

家に一旦着いてから、「勉強しなきゃな、何から始めよう…」と考えてしまうと、その瞬間に弱い自分が襲ってきて、「いや〜ちょっとだるいなぁ、このままダラダラしよう」となり、時間を浪費しがちです。これを防ぐためには、家へ歩いているときに、「帰ったらどこから勉強しようか」と考えると良いです。その際、帰ってすぐにとりかかる勉強内容を考えたら、そこで思考を終わらせずに、その後何を勉強するかまで考えましょう。やることの大枠を決めるイメージです。「テキストAの前回の見直しから始めて、テキストAを10ページくらい覚えた後、テキストBを5ページやって、最後に通して再読しよう」という具合です。

そうやって、**やることを大体決めておくと、勉強に対してすでに意識が向いている**ので、帰ってから勉強を始める時の抵抗感が小さくなりますし、ソファなどで「今日の勉強何しよう…」と自分がダラける隙が生じないので、帰宅後すぐに勉強を始めることができます。

方法④ 毎日同じ時間に勉強することを習慣化する（朝がおすすめ）

決められた時間に必ず勉強をするということをしていると、それが習慣になり、その時間に勉強をしていないことへの違和感が強くなります。ただ、そもそも決められた時間に必ず勉強をするということが難しいですよね。家から帰ってすぐ勉強すると決めていても、疲れているしちょっと一息つきたくなる…。その気持ちはわかります。であれば、**一息つかなくて良い時間に勉強をすることを習慣にすれば良い**んです。

例えば朝起きてすぐです。朝起きたときは、体も頭も十分休めた後なので、一息つく必要がありません。1日の中で一番勉強を始めやすいタイミングだと思います。いや、寝不足で眠くて勉強なんてできないよという方は、しっかり睡眠の量と質を確保できるように生活習慣の見直しから始めてください。

この朝勉の時間は、僕のようにガッツリ3時間などである必要はなく、30分とか、たとえ10分でも絶大な効果を発揮します。その10分の勉強で、あえてキリの悪いところで終わらせます。そうすると、帰宅したときにすぐに勉強を始めやすくなります。方法①につなげるわけです。

究極的には勉強し続ける

これらの方法を通して、目指すべき究極の姿は、勉強ができる場所や時間になったらすぐに勉強する、つまり**勉強への意識を常に持ち続ける**というものです。

長時間の休憩を取ってしまうと、勉強への意識が薄れて、その後再開するときに腰が重くなってしまいます。だったら長い休憩をできるだけ取らなければ良い。友達付き合いや、趣味の時間などの意義のある休憩は良いのです。そうではなく、日々、帰宅してから少しぼーっとする時間とか、夕食後ダラダラしてしまっている時間、そういうあまり意味がないのに長くなってしまいがちな時間を、究極的には0にすることを目指します。この実現は難しいと思いますが、そこを目指すという意識を持ち続ければ、段々とその姿に近づくことはできます。僕も常に勉強する自分になれるよう、日々弱い自分と戦っています。

POINT

とにかくやり始めることで、その後も勉強し続けることができる。とにかくやり始めるためには、第一に、キリの悪いところで勉強を強制終了するという方法が有効である。その他、簡単なことから始める、移動中にタスクを整理する、習慣化するという方法も有効。目指すは常に勉強する自分！

苦痛を感じずに日々の作業を好きになるには

✦ゴールではなく過程を好きになれるかが勝負

資格取得やスキルの習得によって、給料が上がったり、業務の幅が広がったりします。それを目指して、みんな日々勉強します。そう、誰だってゴールは好きなんです。気持ちの良いゴールを手に入れるために、今の苦痛を我慢する。こういう気持ちで勉強に取り組んでいる方は多いと思います。でもこれでは抜きん出ることはできません。

ゴールはもちろん好き、でもそこに至る過程も好き、という状態になってこそ、人よりも何倍も努力できる。その結果、望み通りの結果を得ることができます。勝負の分かれ道は、過程、つまり日々の勉強を好きになれるかどうかです。

僕も暗記分野の勉強は苦手で、子供の頃は苦痛で、なかなか暗記分野の勉強には取りかかれませんでした。取りかかっても、「この苦痛を乗り越えたら、良い点が取れる。頑張れ自分」と、なんとか苦痛を我慢してやる、という気持ちで勉強していました。

でもそれじゃ長続きしないんです。自分自身、我慢強いほうだと思いますが、それでも嫌いな分野の勉強を長期間やり続けるというのはなかなかできるものではないです。それでも、なんとか暗記分野をやり続ける方法を模索する中で、ようやく、**嫌いな分野でも好きにならなくてはいけないんだという、一見矛盾した考え**に至りました。色々方法を試して、好きとまではいかなくても、嫌悪感をかなり払拭することはできるようになりました。苦しいと感じない工夫をしたのです。これからその方法を紹介していきます。

方法① 広い意味での成長を見つける・作り出す

まずは一番重要な方法です。非常に端的に言うなら、成長の喜びを感じながら勉強しましょう、ということになります。いや、勉強して知識が身に付くという成長は感じているよ、と読者は言うかもしれません。その通りなのですが、ここではもう少し広い意味で成長という言葉を使っています。今取り組んでいる勉強内容の知識ではなく、**勉強法だったり、頭の使い方だったり、あるいは苦手なものに対する気持ちの持ちようといった、もっと普遍的な成長を感じながら勉強する**ということです。

今取り組んでいる勉強内容というのは、10年後には使っていない可能性も大いにあります。また、苦手な分野ほど、その知識に興味を持てないので、知識を覚えたからといって、大きな喜びを得られるものでもありません。

でも、勉強法や頭の使い方といった普遍的な成長は死ぬまで必ず役立つものです。しかも勉強以外でも、頭を使う場面なら役立つものです。そんな貴重なものを今この瞬間に手に入れているのだと思うと、勉強への大きなモチベーションになります。

ただし、この広い意味での成長は漫然と勉強しているだけではなかなか得られないものです。だから1日の勉強が終わったら、意識的にその日の勉強で何か成長したことはないか、少しの時間でも良いので振り返ってみてください。例えば、昨日よりも今日は集中できた。なぜだろう。そうか、今日はやることを少なく絞っていたから集中できたのか、とか。そこから自分の脳の性質を発見し、次に活かすことができます。こんな風に、**何か昨日とは違っている部分を見つけて、その原因を探ることが、広い意味での成長を手に入れる最初の一歩**だと思います。

また、成長を作り出すこともできます。今までとは少し違う勉強法をしてみたり、時間の使い方（勉強の時間を夜から朝にするなど）を変えてみたりする。そうすると、より効率良く勉強できてうまくいくこともあれば、逆効果のこともあるでしょう。でもどちらにせよその中で気づくことがあるので、翌日からの勉強に活かすことができます。

こうやって、日々の勉強に広い意味での成長という大きなご褒美をトッピングすれば、嫌いな分野の勉強でもワクワクしながら進めることができます。

方法② できない自分を楽しむ

これは厳密には方法①に含まれる話なのですが、その中でも特に強調しておきたいことなので、独立して2つ目の方法としました。

できない自分を楽しむという気持ちを持ってほしいのです。苦手な分野の勉強は、なかなか理解できなかったり、退屈だったりして、遅々として進まないことも多いです。だからこそ、習得するには色々な工夫が必要になってきます。苦手ながらもできるだけ速く進めるにはどうすれば良いか。勉強し続けるためにモチベーションを維持するにはどうしたら良いか。その方法はこの本にたくさん書きましたが、自分に最高にフィットしたより良い方法がある可能性もあります。**苦手だからこそ工夫のしどころが数多くあり、それが普遍的な成長につながることもよくあります。**

このように、できない分野の勉強は成長の宝庫なので、このたくさんの成長の機会を楽しんでほしいんです。そして、その苦手分野をやりきったとき、仮にそれが周りと同じような水準の仕上がりだとしても、自分は周りとは努力の量も質も違うんだ、大きく成長したんだ、という誇りを持ってほしいと思います。これが、できない自分を楽しむということです。

方法③ やるべき全体の量を見ない、今に集中する

最後の方法は、成長の話とは変わって、全体の量を見ないという話です。今日もこれだけ勉強しなきゃいけないのか…と、今日やらなければいけない勉強量全体を意識してしまうと、その量が多ければ多いほどゲンナリするのは当然だと思います。また、今日だけではなく、試験までにこれだけの量を覚えないといけないのかと思うと、無理だという気持ちが強くなり、やる気がなくなります。

なので、やらなければいけない全体の量は、あまり意識しないほうが良いのです。もちろん、計画を立てるときは全体の量を考えざるを得ませんが、一旦計画を立てたら、もう**全体の量は見ずに、日々の勉強、そして、今この瞬間の勉強に集中するほうが、精神的には楽になります。**

僕はよくランニングするのですが、これはランニングを例に取って考えるとわかりやすいと思います。近くの公園を30周するときに、1周するたびに、あと29周とか、あと28周とか考えていると、この先まだまだ距離があることが強調されて、余計気が滅入ります。そうではなく、今突き出している一歩一歩にできるだけ集中します。1周するたびに、周回数はカウントしますが、周回数に意識を向けるのは本当に一瞬だけにして、すぐに一歩一歩に集中するように意識を切り替えます。そうすることで、気が付いたら予定の距離を走破していたという状態になります。

勉強もこれと同じで、抵抗感のある分野こそ、できるだけ今日やるべき全体の量に目を向けない。今の一瞬一瞬に最大限に集中することだけを考えて勉強を進めます。途中休憩するときについつい、あとこんなにもあるのか…と考えてしまいがちだけど、すぐにいやいや、今に集中！と意識を切り替えて全体を考えないようにする。そうしてやり続けていると、気づけば今日やるべき勉強量はもう少しで終わりそうになっている。そういう意識の使い方をすれば、苦手な分野でもそれほど嫌悪感を感じずにやり切ることができます。

POINT

資格やスキルの習得というゴールではなく、そこまでの勉強という過程を好きになれるかが勝負のポイント。そのためには広い意味での成長を楽しむという意識が重要である。苦手分野の勉強は成長の宝庫だから、できない自分が大きく成長するのを楽しんでほしい。また、やる気を切らさないためには、勉強量全体を見ず、今この一瞬の勉強に集中することが大事。

誘惑と戦わずにすむ方法を考える

◆誘惑に勝ち続けるのは難しい

誰だって目の前に大好きなものがあるのに、それを無視して勉強に集中するということは難しいです。1日、2日程度我慢できたとしても、長期間我慢し続けるのは至難のワザです。SNS、YouTube、漫画、ゲーム…。そういう誘惑たちを振り切って勉強に集中するのは難しいので、そもそも誘惑と戦わないのが賢明です。この娯楽にあふれた現代社会で生きていく以上、自分の周りから誘惑を完全に消すことは難しいですが、できる限り自分の周りから、そして自分の意識から誘惑を消す方法をお伝えします。

◆誘惑を気晴らしに置き換える

まず検討すべき方法は、誘惑を気晴らしに置き換えるというものです。この話を進めるうえで、僕にとっての誘惑と気晴らしの違いを説明しておきたいと思います。

誘惑に負けたという表現があるように、誘惑にはネガティブなイメージがあります。しかし、仮にスマホでSNSを見ていたとしても、それが誘惑に負けたことにはならない場合があります。それが気晴らしです。気晴らしといえば、勉強など何かやるべきことがあって、それに向けてエネルギーを充填するというような、ポジティブなイメージがあります。

端的にまとめると、**誘惑は、予定していた勉強時間を奪う行為を指します。気晴らしはその反対で、予定していた勉強時間を奪わない行為です。**例えば、今日テキストを10ページ進める予定だったとします。テキストを10ページ進めたとしても、自由時間を2時間持てる場合、その自由時間内で好きなことをする行為は何をしていようが気晴らしになります。ただ、2時間を超えてやり続けたら、2時間を超えた分は誘惑に負けたということです。

こう定義すると、娯楽の中にも誘惑になりやすい行為と、気晴らしになりやすい行為があることに気づきます。**自分の裁量でいくらでも続けられるものは誘惑になりやすく、体力的に長時間は続けられないもの、または自分の意志とは無関係に終了するものは気晴らしになりやすいです。**

例えば、ゲーム、SNS、ネットサーフィン、漫画、読書などは自分がやりたいと思えばいくらでもできてしまうので、誘惑になりやすい行為です。一方で、筋トレ、ランニングなどの運動は体力的に何時間もやり続けられるものではないので気晴らしになりやすい行為です。運動以外にも、映画、スポーツ観戦などは自分の意志とは無関係に終了するので気晴らしになりやすいです。ドラマやアニメなどは、すでに放送された内容を動画見放題サービスで見るなら、どんどん続きを見られてしまうので誘惑になりやすいですが、毎週最新話を見るという場合は、続きは来週まで待たないと見られないので気晴らしになります。ほかにも、何かを食べるという行為は、満腹という限界があるのでこれも気晴らしです。また、友達と電話するような、相手がいる行為も自分の意志だけでやり続けることはできないので、気晴らしになりやすい行為です。

こうして列挙してみると、意外と、誘惑を引き起こす行為より、気晴らしになる行為のほうが種類としては多いことがわかると思います。そして、**毎日予定通り勉強を進めるという意味においては、誘惑ではなく気晴らしによってストレスを解消するのが望ましい**というのは明白でしょう。

ですので、自分のストレス解消方法を列挙してみて、誘惑になりやすいものがあれば、気晴らしに置き換えられないか検討してみましょう。今までネットサーフィンしていた時間をドラマの最新話を観る時間に変える、SNSの時間を筋トレの時間に変える、など。いきなりすべての誘惑を気晴らしに置き換えることは難しいですが、何か1つでも変えることから始めてみてください。

◆誘惑を引き起こすものを捨てる

誘惑を引き起こすものを気晴らしに変えようと思っても、大好きすぎて変えられない行為はあると思います。それが予定された勉強時間を奪わない範囲で自制できているならまったく問題はありません。ただ、一旦やり始めるとズルズルとやり続けて、気づけば寝る時間になっていた…。そんな日が続くなら、劇的に環境を変化させる必要があります。その方法として僕が出した答えが、身もふたもないですが、誘惑を引き起こすものを捨てる、ということです。

大学時代の僕は、ゲームにハマっている時期がありました。今日はやらないぞと思っても、家に帰るとどうしてもゲームをやり続けてしまう。好きなものを食べたり、ランニングしたり、気晴らしをしても、ゲームへの誘惑を断ち切れない。そういう日が何日も続き、もうゲームを捨てるしかないと思いました。ゲームを捨てようと思ったとき、誘惑が断末魔のように脳内で叫びます。

「明日からゲームができなくなるぞ、良いのか」

「せっかくお金を貯めて買ったゲームだぞ、もったいなくないのか」

でもそこで、ゲームに関連するものを全部捨てる方向にアクセルを踏めたのは、「ここでゲームを捨てなきゃ、自分が偉大な研究をするという夢を捨てることになる。ゲームか、夢か、僕が欲しいのはどっちだ」と自問自答できたからです。

ゲームと夢を天秤にかけるなんて大げさな、なんて思うかもしれませんが、**強い誘惑というのは人生を大きく変えてしまうほどの悪い力がある**と思います。そこでゲームを捨てなければ、僕は勉強に全力を傾けることができず、今の人生とは大きく異なる道を歩んでいたでしょう。

だから皆さんも、今勉強をしなきゃいけないと思っているのに、何か誘惑に負けて毎日予定通り進まないという状態であれば、誘惑を引き起こすものを残らずすべて捨ててください。もし誘惑に負けて捨てられないというのであれば、その時点でもう目標を諦めているのと同じなんです。捨てるか捨てないか決断するこの瞬間が、実は人生の大きな分かれ道であると強く意識して決断してください。捨てるのは誘惑か、目標か。

◆誘惑にたどり着くためのハードルを上げる

とはいえ、誘惑を引き起こすものの中には、娯楽以外にも使うため、捨てられないものがあります。代表的なものがスマホやパソコンです。どちらもゲームやネットなどの娯楽の手段でもあり、円滑なコミュニケーションを取ったり、仕事をしたりするうえで必要な手段でもあります。

こういうものまで捨てるのは、人間関係や仕事に支障をきたすので不可能ですが、**できるだけ誘惑を引き起こさない端末に変える**ことはできます。まず、自分がダラダラとやり続けてしまうアプリがあれば消去します。消去してもまたダウンロードできてしまいますが、それでもワンタッチで起動できる状態よりは、起動までのハードルが上がるので少しは効果があります。

さらに、**勉強中は自分が端末に触れないように工夫**しましょう。例えば、勉強している部屋とは別の部屋に置いておくだけでも効果はあります。目の前にあると、何かと頻繁に見てしまいがちですが、遠くにあるとそれがなくなります。勉強中は家族に端末を監視してもらうとなお良いでしょう。家族の目の届く範囲に端末を置き、勉強が終わるまで触らないと宣言します。そうすると、宣言した手前、決めた時間より前に端末を取りに行くのはカッコ悪くて抵抗感が生じます。

一人暮らしでワンルームに住んでいる場合は、ほかの部屋に端末を置いておくこともできないし、監視してくれる家族もいません。この場合は、起動するまでとても面倒で時間がかかるようにします。例えば、勉強中は電源を切っておき、さらに押し入れの奥のほうに突っ込んで取り出しにくくするというのは1つの手です。

POINT

誘惑とはそもそも戦わない。そのためにはストレス解消法を、自分の意志とは無関係に終了する気晴らしにするのが良い。どうしてもやめられないことがあるなら、その道具を捨てるか、起動までのハードルを上げるべし。

他人からの評価はスルーして、自分をいっぱい褒めよう

◆人からの評価は10％だけ取り入れる

僕はこれまで勉強を頑張り続けてきたこともあって、褒められることが多かったです。親から「勉強頑張って偉いね」とか、友人から「また良い成績取ってすごいじゃん」とか。最初のうちはシンプルに嬉しかったと思います。でもちょっと成績が落ちると、すぐに評価が厳しいものになるんですね。「最近ちゃんと勉強してんのか」とか、「落ちぶれてきた」とか。当然とても悲しく感じました。今まで良い成績を取り続けてきたじゃないか。どうして2、3回成績が悪かったくらいで評価を落とされなきゃいけないんだよ、と。こうして**人からの評価で自分の感情が右往左往するのはとても苦しく、勉強を頑張り続けるうえで障害になります。**褒められるとすごくモチベーションは上がるけど、厳しい評価を受けると、勉強しなきゃと思っても、悲しみに意識が向いて、いつも通りの集中力を発揮できなくなります。

そういうことが繰り返し続いて、他人の評価に対する悲しみや怒りが溜まりに溜まったとき、ふと気づいたんです。大した努力をしたことのない人間こそ、結果だけを見て評価してくる、と。自分で試行錯誤しながら努力を積み重ねてきた人間は、良い成績を維持する大変さが身に染みてわかっているから、そんな短絡的な評価はしない、と。そう考えたとき、**短絡的な評価しかできない、努力の何たるかもわかっていない人間の評価には何の意味もない。**そして、そんな評価に自分の感情が左右されるのは時間の無駄だと思いました。それからは、他人に良い評価をされようが悪い評価をされようが、特に感情に波風立てることなく聞き流せるようになりました。悪く言ってしまえば、あなたからの評価を僕は全然評価しない、というスタンスです。

ただ、**努力家だと僕自身が認める友人・知人の評価は大切に聞く**ようにしていました。自分を客観視できるし、今後改善するためのヒントが詰まっています。そういう意味で、10%くらいは他人からの評価を受け入れていると思います。

✦自分だけが100%正しく自分を評価できる

勉強で成果が出ていないときに、僕のことを思ってアドバイスしてくれる人はいます。家族だったり友人だったり。真面目な僕は当初それを全部受け止め、実践していたのですが、ある時気づいたんです。これ意味ないわ、と。

というのも、他人は僕の状態を完全には把握していないんですね。いや、おそらく親ですら、大学受験時代の僕の努力のほとんどを把握できていなかったと思います。僕が日々どういう努力をして、これからどう改善しようと思っているのか。僕は当然、自分自身の細かな試行錯誤を知っています。この方法ではうまく暗記できなかったから、今少し別の暗記方法を試している、とか。今回のテストでは暗記系科目の成績が悪かったけど、実はこの失敗を通して暗記方法を確立したので全然課題だと思っていない、とか。

僕ほど細かく僕の状態を把握して、さらに真剣に考えている人間なんて、世界にただ一人僕だけなんですね。家族・友人が僕のことを考えている時間の100倍は考えているはずです。

だから他人のアドバイスは、僕自身が考えていることに比べると的外れであることが大半で、逐一実践なんてしていたら、それこそ非効率な勉強法になってしまいます。だから、本当に自分の琴線に触れたものだけを取り入れれば良いと気づきました。

さらに、評価についても、**自分による自分への評価こそが一番大事**だと思いました。自分の勉強の努力と結果の因果関係を完璧に説明できるのは、自分だけなんです。悪い結果であろうが良い結果であろうが、こういう努力をしたから今の結果になったんだなと、正しく原因を突き止められるのは自分自身以外に存在しません。どれほど細かく努力の内容を他人に伝えても、他人は実際にあなたが行った努力を100%は把握できません。100%把握できるのは、実際に努力をしたあなただけです。

◆自分で自分をたくさん褒めよう

こうして自分による評価が一番正確で大切だと気づいてから、その評価を勉強へのモチベーションに変えるにはどうしたら良いか考えました。出した結論は、自分を評価する機会を1日の中でたくさん持って、自分を褒めまくるということです。僕が意識して褒めているポイントを挙げてみます。

① 苦手な分野の勉強をやり切ったとき
② ダラダラしたい自分を瞬殺できたとき
③ 自分の能力を出し切って問題を解いたとき

ほかにも細かい褒めポイントはたくさんありますが、これら3つは常に意識して、クリアできたらすかさず自分を絶大に褒めたたえるようにしています。「やっぱりすごいじゃん、俺」と。若干ナルシストのようですが、他人に言わなければ問題ありません。それぞれ詳しく説明します。

まず①の「苦手な分野の勉強をやり切ったとき」について。僕は暗記が苦手ですが、苦手なことから逃げずに取り組んだらそれは大きな褒めポイントです。苦手分野ですから、後回しにしたくなるわけです。後回しにしてしまうと、予定の量をこなせなくなるリスクが高まります。だから予定の時間にきっちり始めるのが大事なのですが、それは相当重い腰を持ち上げなければいけません。そして勉強を始めても、ほかの分野に比べると、進むスピードは遅く、精神力をたくさん消費します。そんなふうに**悪戦苦闘しながらでも、やるべきタイミングでやるべき量をしっかりこなせたらそれは偉大なこと**です。簡単にできることではないです。だから盛大に自分を称賛します。

次に②の「ダラダラしたい自分を瞬殺できたとき」について。僕でも家に帰った直後や、寝る前など、ちょっとダラダラしたいなと思う瞬間があるのは事実です。弱い自分との戦いがあります。そして「いや、勉強するぞ」と弱い自分に瞬間的に打ち勝って勉強を始めるのですが、そんなときに自分を褒めます。今日も、今回も打ち勝てた。良いぞ。積み重ねていこう、と。たとえそれが毎日、毎回できていることだとしても褒めます。だって**やり続けられる人はそういない**ですから。ダラダラしたくなる瞬間は1日に何回もあるので、最初のうちは弱い自分に全勝するのは難しいと思います。今まで毎日全敗だった人は、1勝でもすれば盛大に自分を褒めましょう。「よくやった、最初の一歩を踏み出せた」と。1勝できたら翌日は2勝を目指します。こうやって一歩一歩進む自分を褒めて、継続してください。

そして最後の③「自分の能力を出し切って問題を解いたとき」について。これが一番の褒めポイントです。問題を解いているときに、手も足も出ないことがあります。それで解説を読んでみる。解説を読んでも何を言っているのかわからない。そこで、疑問点を一つ一つ、詳しい参考書を見たりしながら解決していき、なんとか最後まで理解する。こんなふうに**自分の持てる力をすべて出し切って問題を解いたときこそ、自分の知能が進化します。**一見わからないところを、自分で仮説を立てたり、ほかの本で調べたりしながら、なんとか理解するのはかなり頭が鍛えられます。僕の友人は、こういうとき自分の要領の悪さに絶望するようです。こんなに時間をかけてこれだけしか理解できなかったと。でも違うんです。テキスト上ではほとんど進んでいなくても、その壁を乗り越えるために頭脳は必死に汗をかいたはずです。その頑張りと知能の成長を喜ぶべきです。誰しも、そうやって苦労して頭を働かせれば、頭が良くなりそうだとわかっているとは思いますが、大変なのでやらない人が多いんです。でもだからこそ他人に差をつけられる行為なのです。そんな知能の成長機会を逃さなかったことを褒めます。「難しい問題から逃げなかった。最高の成長機会をモノにした自分、すごすぎるぞ」と。

◆他人は騙せても、自分を騙すことはできない

このように、たくさん自分を褒めるのですが、自分で自分を褒めてもあまり嬉しくない。やっぱり他人に褒められるほうが嬉しいという方もいるでしょう。そういう方には、**自分が自分を褒めることの希少価値**を知ってほしいと思います。

自分は自分の努力をすべて知っているから、褒める機会をたくさん見つけられます。でもそれは褒めるのが簡単だということを意味しません。むしろ自分が心から自分を褒めるのは難しいのです。なぜなら、**自分は自分の頑張りをすべて把握していると同時に、手を抜いたところも完全に把握している**からです。他人に隠れて手を抜くことはできても、自分に隠れて手を抜くことはできません。だから少しでもやましいことがあると、心から自分を褒めることはできないのです。苦手な分野の勉強時間を少し削った。家に帰ってから少しだけだがダラダラした。難しい問題は解説をサラッと読むだけにした。全部自分にはわかってしまうことです。疲れているとそういう手抜きをしてしまいがちですが、少しでも手抜きをしてしまうと、もうその瞬間の自分を褒めることはできません。

だから自分というのは、この地球上で一番厳しい評価者なのです。そんな厳しい人から褒められたのであれば、胸を張って自信を持ち、目一杯喜んで良いのです。

POINT

自分だけが自分を100%正しく評価できるので、重視すべきは自分による評価である。自分の評価をモチベーションに変えるには、自分をたくさん褒めることが大事。手を抜けば自分には100%バレるので、精一杯日々やりきって、褒める機会を逃さないようにしよう。

どうしてもやる気が出ないときはどうする？

気晴らしをしてもモチベーションが回復しない。机に座ってテキストを開いてもまったく勉強を進めることができない。そういう、どうしてもやる気が出ないときは確かにあります。この項では、そんなときの対処法を説明します。

◆次に勉強できる絶好のタイミングに向けてコンディションを整える

今勉強できないなら、今はコンディションを整えることに集中して、次に勉強するときにいつもの2倍集中できるようにすれば良いと考えます。そうすれば今休んだことのダメージを最小化できます。自分が最も抵抗なく勉強できる時間を特定し、そこに向けてコンディションを整えていきます。僕であれば、朝起きた直後が一番すんなり勉強できる時間です。

なので、やる気が出ないときは、早朝に向けてコンディションを整えていきますが、**一番意識することは「寝る」こと**です。ぐっすり寝た後の朝は、昨日のアガらなかった気分のモヤモヤがどこかに飛んでいって、心がスッキリしていることが僕はよくあります。そうすると昨日のやる気のなさがウソだったかのように勉強に集中できることが多いです。

だから本当にやる気が出ないときは、最高の睡眠がとれるように準備します。まずランニングなどの有酸素運動を1時間以上して体を疲れさせた後、好きなメニューのご飯をたらふく食べて満足感を得ます。その後お風呂にゆっくり浸かり体を温めて、そして布団に入り、自分が眠りやすくなる音楽を聴きます。そうすると段々ととても眠くなってくるので、音楽を切って寝るのです。

こうしていつもよりも早く寝ながらも、質の良い睡眠をとれるようにします。いつもは6時間ほどの睡眠時間ですが、こういう日は8時間とか9時間とか寝られるように目覚ましをセットします。ですが、いつもの習慣からか、結局6時間くらいで目が覚めることが多いです。いつも通り6時間で目が覚めると、前日に早く寝た分、いつもより早く起きて、いつもより長く朝勉強できることになります。そうすると前日にやらなかった勉強時間の大部分を取り返すことができます。

このように、**どうしても勉強できない日は勉強することをキッパリ諦めて、次、勉強できるタイミングの集中力を高めたり、そのタイミングが早く来るように時間を使ったほうが良い**です。

✦つらいできごとが起きたときは、できるだけ思い出さない工夫をしよう

ここまでは、特に何かあったわけではないが、どうしてもやる気が出ない場合の対処法を話してきました。しかし本当にやる気が出なくなってしまうような、とても落ち込むできごとに見舞われるという場合もあります。

ここからはそんな場合の対処法を述べたいと思います。ただ、ご存知の通り、僕は非常に忘れっぽいのです。だから何かとても落ち込むことが起きても、お風呂に入ってぐっすり寝れば、翌日にはかなりそのショックが和らいでいることが多いです。

今まで生きてきた中で、彼女に振られた日や、祖父、祖母が亡くなった日など、とても落ち込むことは色々ありましたが、翌日からほぼ支障なく勉強を再開できていました。これを僕の特殊な性質と割り切ってしまうこともできますが、そこからできるだけ、皆さんにも役に立つヒントを提示できればと思います。ポイントは早く忘れる工夫をするということです。

僕の友人には、ずるずるといつまでも嫌な思い出を引きずる人がいます。例えば、彼女に振られたとき、1週間後も2週間後も、いや1ヶ月後でも「横井、あのさ、俺が振られたのなんでかな？」と同じ質問を繰り返しています。おそらく1人でいるときもずっとぐるぐる、答えの出な

いことを自問自答しては、嫌な思い出を脳内で繰り返しているのだと思います。そんなことをしていると忘れられるわけないんです。もちろん、彼も思い出したくて思い出しているのではなく、勝手に思い出が蘇ってくるんだと思います。であれば、**脳に思い出させる隙を与えないようにします。**

僕もそもそも忘れやすいとはいえ、嫌なことを忘れる努力はしています。まず一人の時間を極力作らないことです。家族や友人と会話し、会話内容もそのできごととは関係ないことを話します。しかしずっと誰かがそばにいるわけではないので、一人にならざるを得ない時間もあります。

そういうときもそのできごとのほうに意識が向かないように、例えばキツい運動をして頭が働かないようにします。限界まで運動をすれば疲れて泥のように眠れるので、布団の中でもそのできごとを思い出さなくてすみます。没頭できる趣味がある人は、それを一生懸命やるのも良いでしょう。こうして**そのできごとを考えないですむ時間を意図的に作り出し、つなげていきます。こういうときは無理に勉強しないほうが良いです。**勉強するときは一人になってしまうことが多いですし、勉強できる程度に頭が働いていると、つらい思い出が蘇ってきて、その記憶が強化されていまいます。

僕の場合はこうしてつらいできごとを思い出さない時間を丸1日作れればかなり記憶が薄れてくれます。僕ほどではないにしても、思い出さない工夫をすることが、回復にかかる時間を短縮するために重要なことだと思います。

POINT

どうしてもやる気が出ないときは、次に自分が勉強しやすいタイミングを見定めて、その時間に最高の勉強ができるように、コンディション作りに全力を傾ける。そのほか、つらいできごとが起きたときは、人と会話したり趣味に没頭したりして、極力思い出さないようにしよう。

メンタルバイオリズムに合わせて勉強量を調節する

✦誰にでもメンタルバイオリズムがある

今日はなんだか気分が乗らないな、とか、集中できないな、という日もあれば、今日はとっても調子が良い、めちゃくちゃ集中できる！　という日もあると思います。

こういうメンタル、あるいは脳の働きの面で調子が良いとき、悪いときというのは、僕は経験上、ある程度周期的に起こると感じていて、この周期をメンタルバイオリズムと呼んでいます。**プロスポーツ選手に体の動きの調子があるように、脳や心の働きにも調子の良し悪しがある**と思います。

僕の場合、調子が良い時期は大体1週間くらい続いて、その後平常運転に戻るか、調子が悪くなります。一旦調子が悪くなると、また1週間くらい続いて、その後は平常運転に戻ります。平常運転の期間は数ヶ月続くときもあれば、1週間で終わるときもあってマチマチですが、平均すれば1ヶ月くらいかなと思います。

何がきっかけで調子が良くなったり悪くなったりするかはわかりません。ただ、いつもと同じように勉強をしたときに、いつもより長く集中できることに気づいて、いま自分が調子良いことを知る、という具合です。そんなことを意識したことはない、感じたことはない、という読者もいると思いますが、恐らく気づいていないだけで、少なからず調子の良し悪しがあると思います。まずは自分がどんな周期で調子が良くなったり悪くなったりするかを把握するのが大事です。集中力、その持続時間、またはひらめきの良さなどに気を付けてしばらく勉強していると、だんだんわかってくると思います。

◆調子が良いときでもやりすぎない

調子が良いときは自分でも驚くほどスイスイ勉強が進むので、ついついやり続けてしまいます。「この好調の波を逃さずに、乗りこなして進めまくるぞ！」と、ここぞとばかりに進めます。以前は僕もそんなふうに調子の良いときはグイグイ進めて、一切休憩も取らず黙々と勉強をし続けました。でもそうやって**いつも以上にやりすぎると、高確率で反動が来る**んです。調子が良い時期はそんなに長く続きません。それが終わると、なんだか気乗りしないなという日が始まります。そして、予定通り勉強が進まない時期が長くなって、調子が良いときにためた勉強の貯蓄をすべて吐き出します。それでも不調の時期が終わらずに、予定より遅れてしまうこともあります。だから、好調時でもやりすぎてはいけないのです。**自分が調子が良いなと感じたときは、自分にやりすぎるな、やりすぎるなと語りかけて、予定している勉強量きっちりで勉強を終わるように心がけます。**いつも通り休憩、睡眠を取るようにします。そうすると、好調後の反動は少なくなって、うまくいけば調子が悪い時期が来ないこともあります。

目標を達成するうえで大事なのは、計画通り勉強を進めることです。勉強が著しく止まってしまうことの防止を第一に考えなければなりません。そのためには、好調後の反動を極力小さくすることが大事です。

僕がこのことを痛感したのは、社会人1年目で適応障害になって1ヶ月休職したときでした。新卒でコンサルティング会社に入社し、貪欲に成長したい、早く一人前に仕事ができるようになりたいと思っていました。ちょうどその頃調子が良い時期が重なり、連日張り切って長時間労働をしていました。でも調子が良い時期が終わると、反動が来て急激に仕事をするのが苦しくなり、会社に行くことすらつらくなりました。結局1ヶ月ほど休職し、復職することはできましたが、会社での評価を良いものに戻すには、それなりの時間と苦労が必要でした。

そのことがあって以来、**好調後の反動を小さくすることが、努力を続けるうえでは大事**だと学び、仕事だけではなく勉強でも同様だと気づきました。だから、調子が良いときに気をつけることは、走りすぎる自分をセーブすることです。

調子が悪いときは無理せずやり過ごそう

調子が良い時期が終わって、調子が悪い時期に入ってしまったときは、なるべく早くその時期が終わるようにします。そのためにできることは、無理をしないということです。我慢強い人ほど、調子が悪いときでも、自分に鞭打って、計画していた勉強を終わらせようとします。しかし、いつもより集中は続かず、脳の回転も悪いので、より時間がかかったり、なかなか理解できずイライラしたりします。そういう時間が長くなると精神がグッと疲弊するうえに、休息の時間が短くなり十分回復できません。翌日はさらに悪い状態となり、それでも頑張ろうとするから、一層調子が悪くなるという悪循環に陥ります。そうなると調子はなかなか平常通りに戻ってはくれません。

だから、**調子が悪いときは、頑張らずに、勉強はいつもの7、8割程度で切り上げて、多めに休息を取ることが大切です。**頑張り屋さんほど気を付けてほしいと思います。頑張り屋さんは多めに休んでいる自分に対して罪悪感を抱きがちです。それも悪い調子を長引かせてしまう一因となります。休まないほうが、結果的には不調が長引き、勉強が進まないことになるのでダメなんです。調子が悪いときは、しっかり休んでいる自分を褒めましょう。「不調の時期を短くするために焦らずしっかり休めている自分は偉い。戦略的に動けていて素晴らしいぞ」と。

僕が不調のときは、最低限の勉強だけやり、余った時間は気晴らしをするようにしています。近所のいつもの散歩コースを歩き回ったり、湯船の中で旅行番組を見たりして、ぼーっとします。頭を働かせないのがポイントです。そして早めに布団に入って、いつもより長く睡眠時間を取ります。こうして脳を休ませ、心も休ませていると、数日で平常通りに戻ることができます。

結局、**長期的に見て一番良い状態は、好調でも不調でもない、平常運転のとき**なのです。平常時は、いつもより頑張ろうと思えば多少頑張れるし、頑張ったらちゃんと疲れるので、頑張りすぎることはできません。計画に遅れが出て、その遅れを取り戻すときも、平常運転のときにいつもより少し頑張って、数日間かけて徐々に取り戻すのが良いです。毎日、穴をつくらず、走りすぎず、平常運転でコツコツ積み上げていきましょう。

POINT

人には脳や心の働きの面でも調子の良し悪しがあり、調子が良いときは頑張りすぎず、調子が悪いときは無理しないのが大事。一番良いのは普通の状態が長期間続いて、計画通り勉強し続けること。

戦略4 時間を生み出す時間管理術

1分のスキマ時間でも大切に

勉強の成果というのは、勉強法が同じであるなら、勉強時間×集中力で決まります。勉強時間が重要だとはわかっていても、この忙しい現代社会で勉強時間を確保するのは至難のワザです。仕事、家事、趣味、友人・家族とのコミュニケーションなどなど、勉強以外にやることが多すぎて、気付けばあっという間に就寝時間になってしまいます。だから、勉強時間を確保するうえでは、**本当に1分でも、1秒でも、勉強できる時間があれば逃したくない、という心構えが一番大事です。**例えて言うなら、江戸時代の飢饉の時期の飢餓感です。きっとあの時代、飢えている人々は食べ物を血眼になって探したはずだし、食べ物を見つけたら即座に口に入れたはずです。

その食べ物への執着といったら凄まじいものだったでしょう。時間のない現代人の僕たちは、これと同じような強い執着を、時間に対して持たなければいけません。常に勉強する時間はないかと意識し、見つけたら逃さず勉強します。そのための具体的な方法をこの〈戦略4〉で説明します。

◆歩いているときも勉強できる

スキマ時間を活用して勉強を進めましょう、ということはよく言われると思います。ここで僕がそのセリフを繰り返したところで、何をいまさら…と思う読者は多いかもしれません。だから、スキマ時間に関して僕がお伝えしたいことは、**もっと突き詰めよう**、ということです。

どこまで突き詰めるかは自分のモチベーション次第ですが、モチベーションが高ければ、どんな状況でも、1分も無駄にせず勉強を進めることができます。そのためには、状況に合わせて、以下の3パターンの勉強内容を用意することが必要です。

①手に何も持たなくてもできる勉強内容
②立っていて、テキストを開いてできる勉強内容

③ 椅子があり、座って膝にテキストやノートを開いてできる勉強内容

以下、順に説明していきます。

まず①の手ぶらでできる勉強ですが、これは主に、歩いているときや、満員電車で手に何も持てないときに行う勉強です。具体的な状況としては、例えば、自宅の最寄り駅から歩いて自宅まで帰っているときです。電車を下車する前に、覚えたい内容を何個か頭に入れます。下車したら、家まで歩きながらその内容を小声で口ずさみます。恥ずかしいなら、脳内で復唱するのでも良いでしょう。あるいは、下車する前に問題を1題読み、その問題を考えながら歩くということも可能です。このように自宅への道で勉強すれば、勉強モードが途切れず、帰宅後すぐに勉強にとりかかりやすくなるという良い副作用もあります。

次に②の立ちながらする勉強と③の座ってする勉強ですが、これらはやっている方も多いと思うので軽い説明にとどめておきます。②ですが、この代表的な状況は電車で立っているときです。テキストを開けないほど混んでいる場合は①の勉強をせざるを得ませんが、テキストを開く空間的余裕がある場合は、テキストを開いて勉強します。書くことは難しい状況が多いので、暗記ものを勉強するのが良いでしょう。

また、③については、この主な状況は電車で座れたときで、ほぼ家と同じような勉強ができます。テキストとノート両方を使うような勉強内容（問題集の問題を見ながら、ノートに解くような勉強）でも、利き手にシャーペンを持ち、反対側の手でテキストを持って、膝の上のノートに書き込むことで勉強できます。

ここで頭に置いておくべきことは、①より②、②より③のほうが勉強の効率が良いということです。当然、何も見ないより、テキストを見たりノートに書いたりするほうが勉強の効率は良くなります。なので、状況が変われば、勉強内容もより効率的なものにするのが理想的です。例えば、電車が満員でテキストを開けないので①の勉強をしていたが、少し空いたので②の勉強をする。その後運良く座れたので③の勉強をするという具合です。

勉強効率の良い交通手段を選ぶ

満員電車に乗ってしまうと、①の勉強しかできません。そういう勉強効率の低い時間を減らすことは、時間を無駄にしないための重要な方法です。例えば、**急行電車で帰ると混んでいて勉強できないが、普通電車なら座って勉強できる場合、僕は迷わず普通電車を選びます。**急行電車だと30分、普通電車だと1時間かかるというように、乗車時間が大きく変わる場合でも、急行電車で勉強できないのであれば、僕が乗るのは普通電車です。

電車で勉強するより、早く家に帰って、家での勉強時間を長くしたほうが勉強が進むという方がいるかもしれませんが、電車で座れる場合、家での勉強と電車での勉強は、それほど効率は変わりません。むしろ、電車での勉強は、数十分とか1時間というように、「降りるまで」という一旦のタイムリミットがある分、家より集中できて勉強が進むこともよくあります。

また、**自分が運転しなければいけない交通手段は極力避けます。**運転中は運転に集中する必要があり、暗記したり問題を考えたりすることはできないからです。地方に住んでいて、自動車が事実上必須のような場合は別ですが、できるだけ電車やバスなどの公共交通機関を使います。また、同じ意味で、自転車は乗らないようにしています。徒歩20〜30分くらいの距離なら、多少遠くても歩いていき、歩きながら、手に何も持たなくてもできる勉強をするようにしています。

◆ 遊ぶときもすぐに開けるテキストを持っていこう

このように、1分ですら無駄にしない準備を常にするのは大変です。今日はリフレッシュするぞと、一人で出かけたり、友達と遊ぶときくらい、ゆっくりして良いと思います。ただ、何かの拍子に思いがけず、無意味な時間ができることがあります。例えば、友達が遅刻したり、電車が遅延してなかなか来なかったり。30分ぐらい時間が空けば、ぶらぶら歩いてリフレッシュしながら時間を潰すことができますが、10分程度の空きであれば、そういうことはできず、ただぼーっと待つことになりがちです。

そんなときに、さっと開けるテキストを持っていると、テキストを開いて、立ちながら勉強することができます。無意味な空き時間を有意義な勉強時間に変えることができます。使うテキストは、さっと気軽に開けて、持ち運びやすい、軽く小さめのものが良いと思います。文庫本サイズの英単語集みたいなイメージです。

こういう勉強時間は、1日積み重ねても30分くらいにしかならないかもしれません。されど30分です。1週間で30分こういう時間があるとすると、1ヶ月で合計2時間程度にはなります。家で2時間勉強するのはそれなりに気合がいることです。

遊ぶ日ですら、こんなふうに時間を無駄にしない意識を常に持っておくのはつらいという方は、無理にやらなくても良いと思います。リフレッシュも大切ですから。ただ、一度はトライしてみてほしいです。**「友達が来るまでの10分程度」のように、短時間とわかっていれば、案外勉強への抵抗感は少ないですし、集中もできるものです。**そして、遊ぶ予定の日にちょっと勉強すると、その後の遊びの解放感が増して気持ち良く過ごせます。一度やってみると、意外と続けられそうと思えるかもしれません。

POINT

電車内で座っているときはもちろんのこと、立っているときも、歩いているときも勉強できる。満員電車や、自分が運転する自動車のような、勉強できない交通手段は極力避けよう。オフの日でも、集合時の待ち時間などに勉強すると、案外はかどるのでお試しあれ。

食事・風呂・歯磨きのタイミングにもこだわる

◆食事・風呂・歯磨きは、必ず取らざるをえない優秀な休憩時間

食事・風呂・歯磨きという行為は、多くの人にとって、毎日必ず行うものです。一見なんの変哲もないこれらの単純作業は、実はとても優秀な休憩時間なのです。僕の経験上、**脳の休憩というのは、ほんの少しの刺激を与えるのが一番良い**と感じています。複雑なことを考えると当然脳は疲れますが、まったく何も考えないというのも刺激がなさすぎてスッキリしない。だから、単純作業は脳を休める良い手段の1つです。例えば、歯磨きをしている間は、「上の歯を磨くぞ…次は下の歯だ…」という非常に簡単なことしか考えていないので、脳へのちょっとした刺激になり、良い休憩になります。反対に、10分間なんでもして良い休憩を与えられると、スマホを開いてニュース記事を読んだり、動画を見たり、ゲームをしたりして、脳を働かせたり、脳に大きな刺激を与えたりしがちです。それでは最高に脳を休めることはできません。

また、これらのルーティーンは場所が変わるというのも良いです。自室からリビングへ、あるいは風呂場、洗面台に移動して作業する。このように作業の場所が変われば、それだけで気分転換になります。

そして、**短い時間で終わる**というのも良いことです。ご飯は30分くらいかかりますが、風呂は長湯をしなければ15分、歯磨きは丁寧に磨いても15分あれば終わるので、動画やゲームのように、ダラダラやり続けるということはほぼありません。ご飯の後にテレビを見続けるということはあり得ますが、それはどの休憩にも言えることです。ダラダラテレビを見続けてしまうような人は、そもそもそういう娯楽をしながらご飯を食べたり歯磨きしたりするのはやめましょう。

1分1秒も惜しんで勉強すべし、という僕の主張から考えると、こういう生活上必須のルーティーン中にも、脳内で暗記事項を復唱したりして、勉強するべきでは？ と思う方もいるでしょう。僕もそうしたいのは山々ですが、何か考えながら動作をすると、僕は直前の動作を覚えておくことができないのです。例えば、歯磨き中に考え事をしてしまうと、さっき上の歯を磨いたのか、下の歯を磨いたのかわからなくなり、永遠に歯磨きが終わらなくなります。だから、作業中は勉強できないのです。作業しながらでも暗記などできる人は、勉強しても良いと思いますが、これらの時間は休憩時間として優秀なので、休憩時間にしてしまうのも良いと思います。

◆作業と作業の間に必ず勉強を挟む

これらの優秀な休憩時間を有効活用するために一番大事なことは、**連続してやらない**ということです。よくやりがちなのが、ご飯を食べた後そのままお風呂に直行することです。これはもったいないです。「食事」「風呂」「歯磨き」という、本来3つある休憩時間を、「食事と風呂」「歯磨き」という2つにしてしまいます。

ご存知の通り、集中というのは、通常は何時間も続くものではないので、同じ時間休憩を取るのであれば、分けて取ったほうが効率良く勉強が進みます。例えば、2時間勉強して、20分休憩するということを繰り返すよりも、1時間勉強、10分休憩を繰り返すほうが、集中力は高く保てます。

また、いずれかの作業をした後、勉強せずに寝るのももったいないです。例えば、歯磨きをしてそのまま寝る、という場合です。せっかく歯磨きという休憩を取って、脳の集中力が回復したのだから、勉強してから寝るほうが良いです。

ということで、これら生活上必須の作業を理想的なタイミングで入れ込んだスケジュールの一例は、次のようになります。

帰宅後、勉強する → ご飯を食べた後、また勉強する → 風呂に入り、上がった後にまた勉強 → 歯磨きして、勉強して寝る

このように、**作業と作業、そして作業と就寝の間に必ず勉強を挟みます。**こうすることで、生活上必須の作業を休憩時間として活用し、ほかに余分な休憩時間を取らなくても、高い集中力を維持しながら勉強時間を多く確保することが可能になります。

◆細かい作業も休憩時間として活用しよう

毎日生活していると、ルーティーンではない作業が入ることがよくあります。歯医者の予約をしなきゃ、とか、洗剤を買わなきゃ、とか。そういうちょっとした用事を思い出したときでも、それが今すぐやらなければいけないことでなければ、僕はすぐにはやりません。そういう**簡単な作業というのは、脳を休めるための良い休憩時間になるので、適切なタイミングで行いたい**のです。僕にとっての適切なタイミングというのは、勉強を始めてから1時間〜1時間半後です。その程度の時間が経つと一旦集中力が落ちるので、そこでタイミング良く作業をします。すると、その作業時間を、勉強に何の役にも立たない時間から、勉強に有用な休憩時間にすることができます。ただ、勉強中に用事を思い出して、それを1時間後にしようと思うと、僕はその間に用事のことを忘れてしまいます。だから、テキストを使って勉強しているなら、**1時間で到達しそうなページに、やるべき用事の内容を書いておきます。**そうすると、勉強に集中して進めながらも、そのページに来たら忘れずに用事を実行することができます。

僕はかなり細かい作業でも、有効な休憩時間として活用すべく、テキストの各ページに、その日の用事を細かく書きます。「郵便受けを見に行く」とか「筆箱の中身を整理する」とか「テーブルを拭く」とか。僕は自分の受験が終わった後、友人に参考書を譲ったのですが、貰ってくれた友人がその用事メモの細かさに驚いていました。「参考書を見ていたら、毎日横井がどんな生活を送っていたのかわかる」と言われたほどです。

これらの用事も一度に全部片付けてしまうと少々もったいないのです。**その日やらなければいけない用事の合間合間に勉強を挟み込み、勉強時間を適度に区切る**ことが、用事を優秀な休憩時間に変え、集中力高く勉強を続けるコツです。

◆休憩のためだけの時間はいらない

こう考えると、実は1日の中で、用事兼休憩の機会は何度もあり、純粋に休憩だけをする時間というのはいらないことがわかります。食事・風呂・歯磨きのほかに、掃除、皿洗い、ゴミ出しなどなど、すべての用事を休憩時間として利用できないか、勉強の合間の良いタイミングで実行できないか、検討してください。

このワザの時間節約効果は大きく、例えば、毎日純粋な休憩時間を30分取る人は、1週間で3時間程度、1ヶ月だと15時間程度、純粋な休憩をしていることになります。それをすべて勉強時間にあてられれば、ライバルとの大きな差となるのは明らかです。〈戦略4〉の冒頭で話した通り、学力は勉強時間×集中力に大きく影響されます。勉強時間の捻出が難しい社会人こそ、こういう短い勉強時間の積み重ねが、勝負の分かれ目になると思います。

POINT

食事・風呂・歯磨きなどの毎日のルーティーンは、単純作業で頭を休める優秀な休憩時間となる。これらの休憩時間を有効活用すべく、実行のタイミングを調節すべし。そのほかの家事などの用事も休憩時間ととらえ、タイミングを調節することで純粋な休憩時間は不要となり、大きな時間節約につながる。

どうしても勉強できないときは

社会人として日々働いていると、ときには業務の繁忙期で、家に帰ってから勉強なんてしていられない、スキマ時間も業務のことで頭がいっぱいで勉強できない、という時期もあると思います。そういう時期の過ごし方を紹介しましょう。

◆ 10分で良いから毎日やろう

どうしても勉強できないときの話なのに、いきなり「10分やろう」と書き、前提を覆してしまって申し訳ありません。ですが、実際、1日に10分の勉強時間も捻出できない状況は、僕の人生で今までありませんでした。**どうにかすれば10分は作れます。**今の世の中、たくさんの時短用サービスがあります。フードデリバリーサービス、家事代行サービスや、ほかには、タクシーを使えば、移動時間・待ち時間の短縮につながりますし、移動時間を車内でしっかり勉強できる時間に変えることができます。このように、自分の予算の許す範囲でいろんなサービスを使って、日々の雑務を肩代わりしてもらい、勉強時間を捻出します。

予算的にそういうサービスを使うのが厳しい、スキマ時間も仕事をしていて勉強できない！となれば、最終的には睡眠時間を削るほかありません。睡眠時間を削るのはつらいですが、10分程度であれば、日中のパフォーマンスにそれほど大きな影響は出ません。こうしてなんとか10分捻出し、毎日勉強を続けます。

この10分の勉強ですが、3つ役割があります。一番大きな役割は、**勉強の気持ちを切らさないこと**です。繁忙期が1ヶ月以上続くことはよくあることです。もし、その間ほとんど目標の勉強をしないとなると、その勉強の気持ちが切れてしまい、再開するときに非常に大きなエネルギーが必要となります。最悪の場合、勉強への気持ちが完全に切れて、目標を諦めてしまう、ということにもなりかねません。そこで、毎日少しでも勉強して目標への気持ちをつなぎ止めます。時間がなくて思い通りに勉強できないという逆境に負けずに毎日勉強している自分を褒めることで、勉強への熱い気持ちを維持します。これが第一の役割。

第二の役割は、それまで**積み重ねた勉強内容の記憶の維持**です。ほぼ勉強しない期間が1ヶ月以上も続けば、それまでやってきた勉強内容の大部分の記憶は大きく薄れたり、完全に忘れてしまったりします。一方で、毎日10分でもその分野の勉強をしていると、不思議なことに、たとえ既習範囲の復習をそれほどしなくても忘れることはかなり防げます。新しい範囲に進み、それを理解しようとする中で、既習範囲の知識を無意識に使うからだと思います。

ここで、これまでの勉強内容の記憶の維持が目的なら、毎日10分間、ひたすら既習範囲を繰り返すのが良いのでは？と思うかもしれません。理論上はその通りなのですが、実際は既習範囲の復習だけではつまらなく、また忘れていることばかりが目について、なかなかモチベーションを保てません。それよりは、新しい範囲を進めつつ、その中で気づいた弱い部分を復習するというのが望ましいです。たとえ毎日、既習範囲の復習だけをしていたとしても、1日10分では、記憶が薄れていくことは防げません。記憶が薄れることはもう仕方がないと諦めて、モチベーションを保ちつつ、忘れるスピードを遅くすることを狙いましょう。

そして最後、第三の役割は**習慣の維持**です。帰宅してすぐに勉強するとか、電車に乗ったらすぐに勉強するとか、朝起きてすぐ勉強する、というような、**勉強する習慣は人生の宝**です。身に付ければ、人生を通して通用する大きな武器になります。しかし、こういう習慣は身に付けるのは難しく、一旦辞めてしまえば簡単になくなるものです。一度なくなった習慣を取り戻すのは、再度大きな苦労を伴います。だから一度身に付けた習慣を易々と手放してはいけないのです。

10分でできることは少ないですが、今自分が持っている勉強に関する習慣の中で、絶対手放したくないものを1つ選んで継続してください。一番大事な習慣を持ち続けることができれば、繁忙期が終わったあと、その習慣を軸に、ほかの習慣もまた毎日繰り返しやすくなります。一度はやめてしまった習慣を、また身に付けやすくなります。

激務の中で学んだ、毎日少しでも勉強を続ける大切さ

僕もコンサルティング会社で働いている時期に繁忙期が何度かありました。毎日9時出社の0時退勤で、電車の中でも業務で使う資料の構成を考えたりして、非常に勉強時間を取りづらい時期でした。そんな一時期、僕は忙しくなる前から毎日1時間英語の勉強をしていましたが、忙しくなっても毎日10〜15分は朝起きて英語の勉強を続けました。僕の英語の勉強法は、洋画を見ながらそのセリフを覚えるというものでしたから、朝起きたらすぐに洋画のDVDを見ました。登場人物のセリフを一文一文完全に理解しながら進めるので、知らない単語が出てきたり、文の構造がわからなかったりすれば、逐一止めて調べます。だから、10分、15分で進められる量なんてたかが知れています。セリフ3つしか進まなかったなんて日もよくありました。でも、**少しずつでも毎日やると、やっぱり今まで覚えたことを、忘れていない実感がありましたし、むしろ少し**

ずつ積み上がっている感覚がありました。英語は新しいセリフであっても、今まで覚えた単語や文法も当然出てくるので、新しいセリフを勉強することが同時に既習範囲の復習にもなります。こうして、繁忙期でもなんとか英語学習を積み上げることができました。

また、別の繁忙期にプログラミングの勉強をしていたときもありました。プログラミングの勉強をやり始めだった時期に、仕事で忙殺されて、1ヶ月くらい丸々プログラミングの勉強をしませんでした。その後で仕事が落ち着いた頃に、プログラミング学習を再開しようと、それまで取り組んでいた参考書を開いたのですが、がく然としました。どこまで勉強していたかすら曖昧で、それまでの勉強した知識は忘却の彼方に消えていました。**せっかく数ヶ月かけて覚えた知識がなくなってしまって、非常に大きな徒労感に襲われました**が、もう一度最初からやり始めることにしました。この経験から、**毎日少しでも良いからやり続ける大切さ**を学びました。その後はどれだけ忙しくなろうとも、必ず毎日10分は学習することに決め、実際にやり続けることで、プログラミング知識が積み上がっていきました。

◆ 失った勉強時間を取り戻そうとせず、計画を後ろ倒しにする

目標に向かって勉強をしているときに、不運にも繁忙期に当たってしまった場合、気を付ける

ことがあります。今述べたように、10分の勉強を毎日続けるのですが、この際、事前に立てた勉強計画のことは気にしないでください。予定していた計画より遅れることは避けられません。毎日どれだけ遅れたかを意識すると、日々遅れが大きくなっていくのを目の当たりにして、モチベーションがどんどん下がっていきます。焦りも不必要に大きくなり、思考が鈍ります。だから、**計画はまた仕事が落ち着いてから立て直すこととして、毎日最低10分勉強することに意識も体力もすべてを注いでください。**

そうしてなんとか繁忙期を乗り切った後、計画を立て直すわけですが、このときにやってしまいがちな失敗は、繁忙期で失った勉強時間を取り戻すべく、自分の限界一杯の勉強計画を立ててしまうことです。これはたいてい失敗します。途中で息切れして挫折するか、再度、予期せぬ忙しい時期が短期間でも来ただけで総崩れになってしまいます。失った時間はもう取り戻せません。潔く諦めて、**繁忙期の期間分だけ計画を後ろ倒しする**のが良いです。

そうは言っても、試験日まで時間がないんだよという場合は、勉強する範囲を絞りましょう。繁忙期前の1日の勉強時間をやり続けて完了できる範囲に絞ってください。繁忙期前も自分なりに精一杯勉強していたはずです。期限が迫っているからといってそれ以上に勉強時間を増やすと、簡単に崩れる計画になってしまいます。

POINT

仕事などで忙しすぎてほぼ勉強できない時期でも、毎日10分の勉強時間は継続すること。そうすることで、モチベーション、それまでの勉強内容の記憶、勉強習慣の3つを維持することができる。勉強できる状況に戻ったときにスムーズに再開できる。

酒は時間泥棒

社会人は、付き合いでお酒を飲むことがよくあります。僕も、社会人になってからは、仕事上の付き合いや友人との交流でお酒を飲む機会が格段に増えました。お酒を飲むと、その後は仕事ができません。大抵は仕事が終わってからお酒を飲むので、業務遂行という意味では問題はありませんが、家に帰ってからの勉強はすこぶるパフォーマンスが低くなります。この項ではお酒との付き合い方について述べたいと思います。

◆酒を飲んだら勉強してはいけない

お酒を飲んだ後でも、泥酔状態でなければ、一応勉強はできます。でもそれは自分ではできると思っているだけで、実際は確実に脳の機能が低下していて、とても効率が悪くなります。効率が悪くなるだけならまだ良いのですが、注意力や読解力が落ちているので、大切なことを見落としたり、読み取れなかったりするのに、自分としてはその範囲を勉強したものとして扱ってしまいます。結果、その範囲を十分に理解しないまま進んでしまい、今後の勉強に悪影響が出ます。つまり、**お酒を飲んだ後の勉強は逆効果なので、やらないほうが良い**のです。

となると、お酒を飲んだら、その瞬間からその日は勉強できません。これは、どれだけお酒が強い人でも同じです。お酒を飲んだら、みな等しく運転すべきではないのと同じように、飲んだらみな等しく勉強すべきではないのです。「飲んだら乗るな」ならぬ、「飲んだら学ぶな」です。

僕の父は飲んべえで、ほぼ毎日結構な量のお酒を飲みます。僕が実家に住んでいた頃は、よく父に、「酒は飲みすぎるなよ。人生が3分の1短くなる」と言われました。その意味は、例えば19時から夕食でお酒を飲んでしまうと、その後寝るまで、生産的な活動はできないという意味で、仮に24時に寝るとすると、5時間くらいは時間を失うことになります。1日で起きている時間が16時間だとすると、およそ3分の1の時間を失うわけです。父のように毎日ほぼ欠かさずお酒を飲む人も少なくないでしょう。飲みまくっている父が言うからこそ説得力があり、僕は父を反面教師として、付き合い以外ではお酒を飲まないように心がけることができました。

◆ 次の日の朝もパフォーマンスが落ちる

実は、お酒を飲んだら、寝るまでの時間がなくなるだけでなく、次の日の朝まで引きずります。

2日酔いのことを言っているのではありません。それほど大量に飲んでいなくても、お酒を飲んだせいで睡眠が浅くなるからか、あるいは、アルコールの分解のために体に負荷がかかるからか、原因は正確にはわかりませんが、**次の日の朝も、脳の調子はいつもより低調**です。勉強すべきではない、というほどは脳の機能は落ちていないので、勉強すべきですが、前日飲まなかった場合と比べると、やはり効率的に進めることは難しいです。

〈戦略5〉で詳しく述べますが、朝は勉強に非常に適した時間なので、この時間のパフォーマンスが落ちることが確定してしまうのは、勉強を進めるに当たって大きなダメージです。

◆休肝日ならぬ、活肝日を設ける

とはいえ、まったく飲まないというのも、すでにアルコールの美味しさや気持ち良さを知っている体からすると相当なストレスになると思います。ずっと我慢することなんて不可能ですし、飲んだことで罪悪感を抱くのも、精神衛生上悪くて、勉強をする際にも悪影響が出ると思います。なので、**基本的には飲まないけれど、○曜日と○曜日は飲むというように、自分でルールを作っておく**のが良いと思います。僕はお酒を飲む日を**活肝日**と呼んでいます。

僕の活肝日は、毎週水曜日で、その日は自分がアルコールを飲むことを許しています。僕はクラフトビールが好きで、活肝日には思う存分いろんなクラフトビールを飲んで、罪悪感を感じることなく、お酒を楽しんでいます。

◆「飲むでしょ?」という空気に流されない

ただ、社会人ですと、友人との付き合い、仕事の付き合いで飲むことも多いと思います。仕事上、飲まないとチームメンバーに迷惑をかけるということもあるでしょう。だから、常に自分の意志を貫いて、活肝日以外は飲まないということは難しいと思います。ただ、活肝日以外に飲む場合についても、自分なりの基準を作って守ることが大切だと思います。

例えば、僕は会社員時代は、仕事のお客様との飲み会では飲むけれど、それ以外では飲まないというマイルールに従っていました。上司との飲み会でも、「翌日のパフォーマンスが落ちるので飲まないことにしているんです」と言って、お酒を断っていました。最初は、そう言うと場が寒くなってしまうかなと怖かったのですが、案外、**相手から尊敬されたりして、コミュニケーションに支障が出ることはなかった**です。こうして、自分の勉強時間を失わないように心がけていました。

お酒を断っても場が白けないことに気づけたのは、ある日の友達3人との夕飯がきっかけでした。そのときはまだ僕は自由にお酒を飲んでいたので、お店の人が「お飲み物は何にしますか」と聞いてくると、僕と友達2人はいつものごとく、「生ビールでお願いします」と頼みました。しかし、残り1人の友達は、「烏龍茶で」と。特段下戸の友達ではなく、以前までは僕と同じくらい飲んでいたのに、突然の烏龍茶のオーダーに、僕は彼が何かの病気なのか心配になりました。

それで「体の調子悪いの？」と聞くと、友達は、「いや、アルコールはもう卒業したんだ」と言います。「アルコールを摂取すると、次の日のパフォーマンスが落ちるから」と。

そのストイックさに驚きました。この4人の飲みの場で、自分のパフォーマンスのために自分の意志を貫く姿がカッコよく見えました。それから、僕も彼の真似をしてアルコール摂取に慎重になろうと思ったし、お酒を断った相手に対して引くことはなく、むしろ尊敬の感情がわくんだと学びました。

POINT

お酒を飲むと、その日に勉強できないだけでなく、次の日の朝も勉強効率が落ちるので大きなタイムロスになる。まったく飲まないのはストレスが大きすぎるので、飲む曜日、活肝日を決めよう。お酒をすすめられても自分の基準に従って、場合によってはお断りすることが大事。

戦略5

最高の集中状態をつくる

最高の集中状態はこうしてつくられる

勉強の成果が勉強時間×集中力に大きく影響されることは先にも述べましたが、〈戦略5〉は、この集中力についてです。集中力は人によって大きく違うもので、その違いによって、勉強効率が2倍も3倍も、あるいはそれ以上違うものになります。例えば、集中力の低い人は、8時間机に座っていても、全力で頭を働かせているのは2時間しかないということもあります。その一方で、集中力が高い人は、全時間ほぼ集中することができます。前者と後者では勉強効率の差が4倍もあるということです。このように、同じ時間勉強しても集中力によって驚くほど結果が変わってくるので、僕は勉強中は集中力を高く維持するために細心の注意を払っています。この集中力を高く維持する方法を説明していきます。

◆最高の集中状態では、勉強に必要ない感覚が消える

まずは目標とすべき、最高に集中した状態とはどんなものなのか知っておきましょう。僕自身、自分の調子が良く、ベストな環境を整えられたときは、かなり高い集中力を発揮できると思っています。この状態では、まず周りの音が聞こえません。正確には、聞こえているのだけれど、目の前の勉強内容以外、脳内でどうでもいい情報として即座に処理され、記憶に残りません。だから名前を呼ばれても気づけないこともよくあります。

また、雑念が一切わいてこなくなります。あまり集中できていない状態だと、勉強していても、勉強に関係のないことが浮かんでは消えていきます。あの動画面白かったな、とか、今日の夕飯なんだろう、とか。最高に集中できていると、そういう雑念が一切なくなり、ただ目の前の勉強内容のことしか頭に入らなくなります。

そして、最後に、体の感覚が必要な部分以外消えます。勉強に必要なのは、ノートを書いたりページをめくったりするための手と、本を見るための目だけなので、それ以外の感覚が消えて存在していないような、そんな感覚になります。すべての感覚が勉強に必要なことだけに集約され

たかのように感じます。

スポーツ選手でも、こういう最高に集中した状態になることがあり、それを「ゾーンに入る」と表現するようですが、**勉強でもこの「ゾーンに入る」ということがあります。**

僕はこういう状態に自動的になるわけではなくて、意識してこの状態に移行しています。意識しても必ずこの状態になれるわけではないですが、その確率を上げる方法はいくつか見つけているのでご紹介します。

◆理想の環境づくりのためにこだわるべきこと

自分が最高に集中できるための環境を探りましょう。**気を付けるべきことは、音・色・椅子です。ほかには室温・湿度・明るさなども影響を与える**ので、これらは自分が快適に感じるように調節してください。

まず一番大きく影響を与えるのは音です。音については、僕の経験上、**静かな環境音**が一番良いです。環境音とは、周りの空間で自然と発生している音のことで、例えば自宅であれば、窓を開けたときに聞こえる電車の音だったり、自動車が走る音だったり。あるいは遠くのほうで遊んでいる子供の声やスズメの鳴き声など。こういう音が混ざり合うと、お互いに打ち消し合って、不思議と気にならなくなります。無音の状態だと、何か少しでも音がすると、その音に気を取られてしまうので、このような環境音があったほうが、逆に音が気にならなくなります。ただし、その中に大きすぎる音があると、意識を持っていかれるのでダメです。僕は昔、大きな道路に面したマンションに住んでいましたが、頻繁にタンクローリーが止まり、その度にキキー！と巨大なブレーキ音が鳴っていたので、最高の集中を保つことが難しかったです。早々に引っ越しました。

音について注意したいのは、勉強において、**音楽を聴きながらではゾーンに入れない**ということです。全神経を勉強に集中するためには、音楽に少しでも意識を奪われるのは避けたいところです。音楽を聴きながら勉強する人の気持ちはわかりますし、それなりに集中できることもあると思います。僕の経験上、勉強しているときの「疲れたな」とか「退屈だな」というちょっとした苦しさを紛らわすために、音楽は一役買うと思います。

しかし、その音楽に気を取られ、１００％の集中を勉強に向けにくくなるのも事実です。「音楽で集中できる」という言葉の真意は、「音楽を聴くことで、そこそこの集中力をいつもより長い時間持続できる」ということだと思います。そう聞くと、勉強をするに当たって、それなりに役立つ方法のように聞こえます。しかし、ゾーンに入れば、「最高の集中力を必要なだけ持続できる」ようになるので、音楽で得られる集中力とは雲泥の差があります。

音楽を聴いてしまうと、このゾーンに入るチャンスを捨てることになります。どうしても気分が乗らないときに、音楽を聴きながら勉強を始めるのは良いですが、勉強を始めて少ししたら、音楽を切って勉強するようにしましょう。

次に、色について説明します。これは特定の色が良い、ということではなく、**視界の中に目立つ色を入れない**、ということです。例えば、ノートは白色、文字は黒色、筆箱も黒色の場合、そこに赤色カバーの大きな消しゴムがあると、目立ってそちらに注意を奪われます。この場合、消しゴムのカバーは黒系の色であるべきです。僕は勉強するときに視界に入るものは、できるだけ白・黒・茶に限定しています。シャーペンは白、ノートの紙も白、消しゴムカバーは白、筆箱は黒色、机は薄めの茶色です。参考書は、開けば紙の白色になります。

この点で、机に何冊か参考書を積んでおくのは好ましくありません。参考書の表紙は青色や黄色など目立つ色の場合があり、視界に入ると集中を奪われます。ですので、僕はそのときに開く参考書以外は、視界に入らない場所に置いておきます。こうして、勉強するときに目に入る色をある程度統一させて、少しでも色に気が散らないようにします。

最後に、椅子についてです。これは詳しく説明せずとも大事だとわかっている方が多数だと思います。**疲れない姿勢を維持することは、長時間集中するための必須要素**です。勉強の姿勢に合っていない椅子を使うと、腰がつらくなって、注意がそちらに行ってしまいます。

このように、椅子の重要さは多くの人が理解していることだと思いますが、だからといって、しっかり良いものを使っている人は少数のようです。例えば、リビングで学習している方は、食事用の椅子で勉強している場合が多いです。しかし、やはり食事用の椅子は勉強する姿勢には適しておらず、長時間勉強していると疲れが出やすいです。また、同様の理由で、カフェの椅子も長時間勉強するには向いていないことが多いです。勉強のように、やや前かがみになる姿勢を長時間維持するためには適していません。1〜2時間勉強する分には大きな支障はありませんが、やはり長時間最高の集中を保って勉強するには、きちんと勉強机と勉強用の椅子が揃っている場所が望ましいです。

大人にとっては、**オフィスチェアが勉強用としても良い働きをします。**オフィスチェアは10万円以上するものもあり、かなり高いですが、それで勉強の効率が2倍になるのであれば、費用に見合った効果は十分あると言えるでしょう。そんな高価なオフィスチェアですが、中古であれば安く買えるので、抵抗のない方は中古品を狙うと良いと思います。実は、僕の椅子も中古品で、中古オフィス家具屋さんに行って、実際にたくさんの椅子に座り、自分に最も合う椅子を見つけました。読者の皆さんも、ぜひ椅子にこだわって、長時間勉強の姿勢を続けられる椅子を手に入れてください。

✦ 自分を最高のコンディションにする

こうして、最高の環境を整えたら、あとは自分自身を、最高に集中できる状態に整えます。大事な要素は、**睡眠時間と腹具合とメンタル**です。

まず睡眠時間についてです。よく知られていることではありますが、人それぞれ最適な睡眠時間は異なるし、年齢によっても変わっていくから、今の自分に最適な睡眠時間を見つけて、しっかり睡眠を取るようにしましょう。また、睡眠不足の日が続きそうだからといって、今たくさん寝ておく、というような「寝だめ」はできません。できるのは、それまでのたまった睡眠不足を、後からたくさん寝ることで補うという「睡眠の補充」です。

社会人であれば、仕事で睡眠不足になることはしばしばあると思います。そういうときに、翌日はしっかり勉強しようと思って、その日の睡眠を長く取るのは必要なことです。ただし、このとき注意すべきなのは、**起きる時間を遅くするのではなく、寝る時間を早くする**ということです。起きる時間を遅くしてしまうと、その日の夜にいつもの就寝時間で眠くならない可能性が上がります。そうすると夜ふかしをしてしまって、次の日、結局睡眠不足になる、ということになりかねません。そうではなく、就寝時間を早められるように準備します。寝不足の状態であれば、自然と早めに眠くなることも多々ありますが、より万全を期して、僕は長めの有酸素運動をした後、ゆっくりお風呂に浸かってリラックスするようにしています。そうするといつもより早く眠ることができ、いつもと同じ時間に目覚めながらも、睡眠を長く取ることができます。

また、**日中勉強していると眠くなることがあるかと思います。こういうときは、僕は迷わず仮眠を取ります。**眠気のせいで頭が鈍いなと感じたら、20分程度ベッドで横になって仮眠します。ベッドに横になれない状態のときは、仕方がないので座ったままで仮眠します。そうすると頭が冴えてまた数時間は高い集中を保って勉強できます。20分程度の時間の投資で数時間の集中を確保できるのだから、仮眠はとても良い時間の投資です。

次に、腹具合ですが、お腹が空いていると、そちらに注意がそれて勉強に集中できません。また脳に糖分を送れないので、脳の働きも鈍くなります。かといって、満腹が良いわけでもありません。満腹だと満腹感が集中を妨げます。**良い状態は、空腹も満腹も感じない、標準的な腹具合です。**僕は勉強するときは常にその腹具合になるように調節しています。少しでもお腹が空いたなと思えば、手軽に食べられる米や海苔を少しだけ食べます。こうすると、お腹ペコペコで夕飯を食べる楽しみはなくなってしまいますが、最高の集中を手に入れるために必要な犠牲だと割り切っています。

そして、最後にメンタルです。集中するためにはメンタルを整えなければいけませんが、ここでいう「メンタルを整える」の意味は、不安を心の外に置いておく、ということです。

仕事、人間関係、あるいは勉強についてでも、なんらかの不安を抱えていると、それが気になって勉強に集中できません。こういうときに僕がいつもしていることは、**今頭の中にある不安を全部紙に書き出して、一つ一つ解決策を検討し、それも紙に書いていくということです。** 不安によっては、短期間で解決することが難しいものもあると思いますが、そういう場合は、解決に向けて今できることを書きます。こうすれば、すべての不安に対処法があることがわかり、一旦落ち着くことができます。また、紙に書いてあるので、勉強中はそれらを忘れても、後で紙を見て思い出せるという安心感があります。こうして、心の不安を紙に移動させておけば、全力で勉強に集中できます。

◆ゾーンに入る前のルーティーンを決める

このように、最高の環境と、最高の自分を用意しても、最初のうちは、ゾーンに入れないことも多いと思います。高確率でゾーンに入るためにもう1つ必要なことは、**ゾーンに入る前に毎回同じ思考・動作をする**ことです。例えば、僕の場合は、ゾーンに入ろうとする前は、「集中する」と頭の中で唱え、3回ゆっくり深呼吸しながら無心になります。そうすると、スムーズにゾーンに移行できることが多いです。

集中する前にルーティーンを行うということは、スポーツ選手の間でも広く行われているようで、例えば元メジャーリーガーのイチロー選手は、バッターボックスに入る前に、大きくゆっくり、ゴルフのようなスイングした後、肩をぐりぐりと回し、左足首も少し回します。その後屈伸をし、バットで右足をコツンと軽く叩きます。その後も一連の動作が続いた後、バッターボックスに入り、バットを投手のほうに立てて、投手を見つめるような動作をします。二刀流で大活躍の大谷選手も、打席に入るまでの行動を見ていると、自分なりのルーティーンがあることがわかります。

ルーティーンの内容は何でも良いと思います。シャーペンを持って、「集中する」と3回書く、などもありえるでしょう。大事なことは、集中しようとする前に、毎回欠かさずその動作をやることです。条件反射で集中できるようにします。

POINT

最高の集中状態とは、今勉強していること以外頭に入ってこない状態である。その状態になるためには、音・色・椅子にこだわり、睡眠・腹具合・メンタルにこだわる。そして、集中状態に入る前のルーティーンを持っておくことが大事。

朝は集中力が高くなる魔法の時間

ここまでの内容で、僕が朝に勉強していることは何度かお話ししましたが、ここで一度、朝の勉強、いわゆる「朝勉」の効果を詳しく書いておきます。

✦朝の自分が一日の中で最高の状態

前日しっかり寝たという前提ですが、まず何より、朝は自分の状態が最高です。十分寝た直後なので、**眠気なし、体力満タン、精神力満タン。**勉強するための糖分を脳に運ぶために、炭水化物を軽く食べれば、勉強の準備万端です。

僕はまだ夜が明けていない時間帯に起きて勉強することも多いですが、「こんな時間に勉強している人間はそういないだろう。めちゃくちゃ頑張っているな、自分」と思い、自己肯定感も上がって、ますます勉強に対する集中力とモチベーションが上がります。しばらくすると、今度は朝日が出てきて、徐々に外が明るくなってきます。すると不思議なことに、その明るさに連動するように自分の気分も上がっていき、集中力を支えてくれます。こうして朝食の時間まで高い集中力を保ってノンストップで勉強を続けることができます。また、頑張って早起きしたから、時間を大切にしたいという思いが強くなり、動画・SNSなどの誘惑に負ける可能性が低くなります。

◆最も集中できる環境が整っているのも「朝」

さらに早朝は、この最高の自分の状態を活かすための最高の環境が整っています。まず**基本的に静か**です。早朝は起きている人が少ないので、生活音はほぼありませんし、道路の交通量も少ないです。静けさの中、鳥の鳴き声と風の音がいい塩梅で混ざって、集中できる環境音を奏でます。

また、**誰かから連絡が来ることがほぼありません。**夜の時間ですと、いつなんどき仕事の連絡が来るかわかりません。だから、定期的にLINEやメールを見て、重要な連絡が来ていないか確認する必要があります。これが集中の妨げになります。しかし、早朝はほぼ誰からも連絡は来ないので確認の必要はありません。万が一連絡が来ていたとしても、「ごめん、寝ていた」で通じます。

また同様に、突然の用事で集中を切られることもありません。宅配便が来たり、家族に家事の依頼をされたりということはありません。何にも邪魔されず勉強に没頭できます。

そして、朝勉強できるのは当然出発するまでなので、**明確に時間が区切られていることも集中が高まる一因です。**夜の就寝時間は自分の裁量で遅らせることができるけれど、朝出発する時間は、遅らせてしまうと、学校や会社に遅刻するので遅らせることはできません。必ず強制的に、一旦勉強を終えなければいけません。このように終わりが明確に見えていると頑張れるものです。

◆ムリなく早起きできるようになる方法

このように、朝勉には、集中力を高める要素が数多くあります。しかし、読者の中には「でも朝起きるのが難しいんだ」という方もたくさんいらっしゃると思います。ごもっともです。気合と根性は必要ですが、できるだけスムーズに早起きの習慣が身に付くように、僕がやったことを参考にしてみてください。

起床時間を急に大きく変えることはできません。今日まで毎朝7時に起きていたのに、明日から4時に起きるなんてことは高確率で失敗します。起床時刻を段階的に30分ずつ早くしていきます。ここで大事なのは、夜30分早く寝られるように頑張る、ということです。**いつもの就寝時刻**

の30分前に自然と眠くなる努力をします。しっかり運動したり、カフェインを摂らないように気を付けたり、寝る1時間前からはスマホを見ないようにしたり。そうして30分早く寝たとしても、30分早く起きるのはつらいものですが、そこはなんとか根性を出して頑張るほかありません。目覚ましをかければ一度は目が覚めると思うんです。そこでつらさに負けて寝る選択をするのか、起きて勉強し人生を変える選択をするのか、です。

僕が朝勉の習慣を身に付けようとした頃は、**目覚まし時計の前に紙を置き、そこに大きな文字で「絶対起きて勉強しろ！ ここで寝たら負け確定！」と書いていました。**目覚ましが鳴って目が覚めた瞬間は、やっぱりつらくて二度寝しようと思うのですが、そのメッセージを見ると、ここで起きないのは、今目標を諦めることと同じだとわかって、なんとか踏みとどまれました。

そうして、1週間くらい、いつもより30分早く起きることを繰り返すと、体が慣れてきてそんなに苦痛ではなくなります。そこで、次の日からはさらに30分早く起きます。この繰り返しで、1〜2ヶ月かけて、目標の時間に起きられる体にします。

そのほかにも、細かい工夫は色々やっていました。朝起きたら好きなお菓子を食べて良いルールにするとか、布団を出ないと手が届かない位置に目覚まし時計を複数置くとか。でもどれだけ起きやすくなる工夫をしても、寝ようと思えば寝られるので、最終的には気合いと根性は必要です。

◆どうしても朝起きられない人へ

色々工夫をしても、起きられない。朝はとっても苦手なんです、という方も当然いらっしゃると思います。体質的なこともあると思います。そんな場合は、無理に早起きして勉強する必要はありません。

そういう方は、なんとか早く起きたとしても、頭がなかなか働かないので、朝勉はむしろ効率が悪くなるかもしれません。素直に夜勉強し、夜勉強するときの集中力を高めるための工夫をするのが良いと思います。

しかし、早起きをしなくても朝ちょっと勉強することは可能です。例えば朝の準備を夜にすませておいて、その分、朝5～10分程度勉強できる時間を作ったり。それくらい短時間の勉強ですと、大抵はキリの悪いところで中断することになります。ですが、そのキリの悪さが勉強を再開するときの抵抗感を減らすことは先に述べた通りです。だから5分だけの朝勉でも大きな効果がありますす。このように、**朝が苦手な方は、早起きしなくてもできる朝勉を取り入れてみると良い**と思います。

POINT

朝は眠気がなく、体力も精神力も満タンなので、集中しやすい。静かで、他人から連絡が来ないのも良い。早起きするには、少しずつ起床時間を早めることが大切。ただ、朝が本当に苦手な人は、無理に早起きする必要はない。早起きしなくてもできる、短時間の朝勉を取り入れて。

気分転換は優先順位を意識する

一旦休憩すると勉強に戻ってくるのが大変

僕は勉強し続けることを理想としており、純粋な休憩のための時間は基本的には不要と述べました。こう考えるのは、用事を休憩時間とすることで、時間を有効活用したいというのが大きな理由ですが、もう1つ理由があって、それは、純粋な休憩をしてしまうと、勉強に戻ってくるのが難しいからです。

例えば、こんな状況を想像してみてください。休憩としてYouTubeを見る。とても面白い動画を見つけてしまった。動画の時間は10分。しかし、予定している休憩時間は5分しかない。こういう状況のとき、多くの人は動画を10分見てしまいます。そして、完全に休憩モードになった脳が、勉強モードに戻るのは高いハードルがあり、1本動画を見た後に、そのまま別の動画を見続けてしまう人も一定数いるでしょう。すると、気づけば1時間経過していた…なんてことはよく聞く話です。こういう失敗を防ぐために、純粋な休憩は不要としている面もあります。

◆勉強しながら気分転換しよう

かといって、食事や入浴などの用事をすますだけでは自分の集中力が回復しないこともあります。何となく気分が乗らない、ちょっと刺激が欲しいと感じるときはあります。そんなときは集中力が落ちてきているので、気分転換をします。ただし、勉強しながらできる気分転換をします。これには大きく3つの方法があり、優先順位が高い順に、①「勉強内容を変える」②「場所を変える」③「五感を刺激する」という方法です。

まず①の**「勉強内容を変える」**ですが、これはさらに3種類に分けられます。「科目を変える」「インプット／アウトプットを変える」「難易度を変える」です。**「科目を変える」**というのはわかりやすいと思います。例えば、今まで英語を勉強していたけど、ちょっと数学を勉強しよう、とすることとです。ただ、大学受験のように、試験科目が多くある場合はこの方法が使えますが、社会人の勉強ですと、数ヶ月間とにかく英語を鍛えたい、とか、ある資格の勉強だけをし続ける、などのように、長期間1つの科目をやり続けるという状況が多いと思います。

そういうときは、**「インプット／アウトプットを変える」**ことを試します。今までは参考書を使って覚えるインプットをしていたが、今からは問題集で答えられるか確認するアウトプットをするぞ、といった具合です。知識をインプットしていた状態からアウトプット演習に移ったときは、使われる脳の部位が違うようで、インプット時に使っていた脳の部位を休められます。それと同時に、さっきまで使っていなかった部位が働くことで、ちょっとした心地良さも感じられ、良い気分転換になります。

そしてもう1つ、**「難易度を変える」**ことでも気分転換できます。例えば、1問に何十分もかかるような難問を解き続けたら疲れたので、簡単な問題を素早く解いて基礎の確認をする、というような状況です。あるいは、苦手な分野を勉強していたけど、気分転換に得意な分野を解いてみる、というのもこの方法に当てはまります。このように、気分転換する際は、まずは勉強内容を変えることを検討してください。

それでもイマイチ気分が回復しないな、というときは、②**「場所を変える」**方法を試しましょう。今まで机で勉強していたけど、ソファで勉強してみるとか、ダイニングテーブルで勉強してみるとか。場所を変えると意外なほどに気分が変わって勉強を続けられることが多いです。一方で、この方法が先の「勉強内容を変える」よりも優先順位が低いのは、最高の集中を保ちづらくなるからです。それは主に姿勢に原因があります。机での勉強は、勉強に適した椅子と机が用意されていますが、例えばソファでは勉強の姿勢を長時間保ちづらく、勉強し続けているとだんだん背中や腰が痛くなります。なので、優先順位はやや低いのですが、30分とか1時間のように短い時間であれば、それほど弊害はないため、場所を変えるのも有効な気分転換になります。

そして場所を変えてもまだ気分が回復しないという場合は、③**「五感を刺激する」**ことを試すと良いです。視覚・聴覚・嗅覚・味覚・触覚のどれか、または複数を刺激します。

例えば、単語の暗記をしながら外の風景を眺めるとか、YouTubeで森の音（川の音や鳥の鳴き声）を流して環境音を変えてみるとか。あるいは、好きなディフューザー（部屋に香りを広げるアイテム）を使ったり、好きなお菓子を食べたり、手や腰のツボを揉みながら参考書を読んだり。

ただ、この方法の優先順位が低いのは、刺激されている感覚に注意がそれて最高の集中状態でなくなるうえに、方法によっては、片手を奪われて勉強効率が落ちるからです。例えばポテトチップスを食べながら勉強すると、油のついた手で参考書や文房具を触ることはできません。勉強のすべての動作を片手でやることになり、効率が落ちます。ということで、優先順位は低くなります。

勉強内容を変えるだけで勉強を続けられることを目指す

今挙げた気分転換の方法で、②「場所を変える」方法と③「五感を刺激する」方法は、多少勉強効率が落ちるという話をしました。であれば、①「勉強内容を変える」ことだけで、気分転換が完了するのがベストです。しかし、「それだけじゃ十分な気分転換にならないよ」という声が聞こえてきそうです。

昔は僕も何の疑いもなくそう思っていたのですが、あるとき、やり続ければ意外とやり続けられることに気づきました。どういうことかと言いますと、勉強していて、ちょっと飽きてきたとします。そこで通常なら、場所を変えるかと移動するところを、少し我慢します。そして、勉強内容を変えて、テキストを1行でも読んだり、問題を1問でも解き始めます。すると、意外とそのまま勉強を続けれられることが多いんです。**場所を変えるのを思いとどまる瞬間は少し気合が必要ですが、そこを乗り越えさえすれば、すんなりと勉強を続けられることが多いです。**〈戦略3〉の「とりあえず始めることでやる気は出る」ということと似ている現象だと思います。このように、優先順位の低い気分転換をする前に、少しグッとこらえて、勉強内容を変えて勉強を続けてみてください。意外と続けられる自分に気づくかもしれません。

POINT

一旦休憩すると、勉強に戻ってくるのが大変なので、勉強しながら気分転換しよう。その気分転換には、優先順位が高いものから順に「勉強内容を変える」、「場所を変える」、「五感を刺激する」という方法がある。勉強内容を変えるだけで勉強し続けられるのが理想。

5分で終わる休憩方法を確立しよう

◆休憩は5分で終わらせる

勉強しながらの気分転換をしても、どうしても集中力を回復できない場合は、最終手段として、勉強はせず休憩だけをする休憩時間、純粋な休憩時間を取るほかありません。このとき、その休憩時間が短ければ短いほど良いのは言うまでもありません。勉強できる時間が刻一刻と減っていくのですから。ただ、僕の経験上、5分程度は時間をかけないとスッキリできないので、5分としています。

この短時間で脳をリフレッシュするためのポイントは、**脳に、勉強以外の弱い刺激を与える**ことです。勉強への集中力が落ちているのは、脳が勉強に飽きているからです。勉強への興味を復活させるには、無心になって脳への刺激を止めるよりも、勉強以外の刺激を脳に与えるほうが効果的です。これはちょうど食事と似ています。焼き肉で肉ばかり食べ続けて、ちょっと肉に飽きた時、スープを飲んだりしますよね。すると、その後また肉を楽しむことができます。これと同じように、勉強に飽きたときは勉強以外の刺激を脳に与えることが良い休憩になります。

ただ、この刺激が強すぎると、脳の休息にならないうえに、もっともっとと、止まらなくなって、5分で休憩を切り上げることが難しくなります。ですので、勉強以外の「弱い」刺激を脳に与えることが大事です。**休憩中に行うことの刺激の強さが脳の休息に適度なものかどうかは、僕の経験上、「勉強のことを考えながらでも楽しめるか」ということが1つの目安**になります。

例えば、ストレッチは良い休憩になる行為の代表例です。勉強のことを考えていても、やり慣れたストレッチは問題なくいつも通りできるでしょう。一方で、漫画を読むのは、脳に強い刺激を与えてしまい、良い休憩になりません。脳内で英単語を復唱しながら漫画をいつも通り理解するのは、普通の人にはできません。

ここで誤解しないで頂きたいのは、休憩しているときも勉強のことを考えろと言っているのではありません。あくまで、これはその行為が脳の休息に適しているか判断するための基準でしかありません。実際の純粋な休憩中は、勉強のことを考えないほうが良いです。何のための休憩かわからなくなります。

このように「勉強のことを考えながらでも楽しめるか」という基準で、脳の休息に良い行為と悪い行為を分けると、当然個人差は出てきます。だから、今から行う行為が良い休憩になるか、悪い休憩になるかは、人によって違いますが、参考までに、僕にとっての良い休憩を紹介します。

◆良い休憩

①体を軽く動かす

筋トレやストレッチなど、体を軽く動かしていると、効率よく脳を休めることができます。筋トレをしながら、正しい体勢を考えたりすると、脳への適度な刺激になります。また、体に染み付いた動きをするのも良いです。ゴルフをしている人はゴルフスイングをしながら、より良いスイングを考えることも良い休憩になると思います。ほかには、近所を散歩するのも良いでしょう。

②人と会話する

家で勉強しているのであれば、家族ととりとめもない会話をするのは良い休憩になります。昨日あった面白いことなど、なるべく頭を使わない簡単な内容を話してください。自習室や学校などでは、友達と話すのも良いです。一人暮らしの方にとっては、休憩中に人と話すというのはなかなか難しいですが、友達と最近話した内容を思い出したりすると、多少気分が和らぎます。「昨日、アイツあんな馬鹿なこと言ってたなぁ」と。

③ 聴き慣れた音楽を聴く

音楽は聴き慣れたものであれば、弱い刺激になって、脳の良い休息になります。僕はYouTubeで再生リストを作って、休憩時間に聞く音楽リストを作っています。一方、新しい音楽は刺激が強すぎるので入れません。もう何回も聴いて良いなと思った曲を入れるようにしています。最新の曲を入れたい場合は、勉強をしない時間に何度も聴いて、聴き慣らしてから入れます。

✦ 悪い休憩

悪い休憩についても少し例示しておきます。テレビ・動画・ゲーム・漫画などが代表的な例です。これらは刺激が強すぎて休息になりませんし、どんどん次の展開が気になるように作られており、5分で止めるのには向いていません。やめておいたほうが良いでしょう。

POINT

集中力回復のため純粋な休憩をとるときは、5分で休憩を終えることを目指す。そのためには、弱い刺激を脳に与えることが効果的。体を軽く動かしたり、会話したり、聴き慣れた音楽を聞こう。

スケジュールは時間で区切らず、タスクで区切る

家庭教師をしていると、勉強を時間で区切ってスケジュールを立てている人が多いことに気付きます。17時から19時は勉強、その後21時から22時も勉強、というように。しかし、僕は基本的には、ここまで勉強したら休憩しようというように、タスクで勉強と休憩を区切っています。勉強はタスクで区切ったほうが効率的に進められる理由をご説明します。

◆時間で区切ると高い集中力を維持できない

時間で区切ると、自分に甘えて、終わりの時間までダラダラしてしまう恐れがあります。例えば1時間後に休憩だとわかっていれば、休憩までの時間何もしなくても、時間が来れば休憩に行くことができます。

僕の兄は勉強嫌いだったので、子供の頃はこういうタイプの子でした。勉強時間後の夕飯のときに、僕が「どれくらい進んだの？」と聞くと、「ほぼ何もやってない。消しゴムのカスをネリネリして時間を潰していた」と。兄ほど極端な例は、社会人の方にはあまりないと思いますが、**何かを終わらせなくても休憩を取れる状況だと、気が緩んで本気を出しきれない**ということは往々にしてあることだと思います。

◆タスクで区切れば「限界突破モード」に切り変わる

家庭教師として、複数の生徒の自習を見守るという仕事がときどき入ります。自習時間が2時間ある場合、自習開始後1時間経過したときに、多くの生徒が思うことは「あと1時間もあるのか」なのです。そこで意気消沈して集中力が低下します。このように、時間で区切っていると、どれだけ頑張ってもその時間までは勉強を続けなければいけないので、張り合いがなくなります。

一方で、**タスクで区切っている場合だと、自分が頑張れば頑張るほど早く終わる**ので、予定している量の半分くらい進めて終わりが見えてくると、「もうちょっとだ、早く終わらせるぞ」と、やる気を持ち直し、集中力をぐんと高めることができます。これは僕が「限界突破モード」と呼んでいるものです。本来は集中力が落ちる時間帯でも、終わりが見えることで、最高の集中力を発揮できる状態です。もちろん、予定の勉強量の半分くらい進めたところで、あとまだ半分もあるのかと思って意気消沈する人もいますが、そういう人は、1回の勉強で進める予定の量を減らすべきです。そうすると、半分くらい進めたところで終わりを近く感じることができ、限界突破モードへ移行できると思います。

どれくらいの時間で集中力が落ちてきて、そのときの残りの勉強量がどれくらいであれば限界突破モードに移行できるかは、人によって大きく違うので、1回の勉強量を変えながら何度か試してみて、自分に最適な量を見つけてください。ちなみに僕は1時間〜1時間半くらいで終わる勉強量を設定すると、限界突破モードに移行しやすくなります。

こういうことは仕事でもよくあることだと思います。あとこれだけやれば今日は終わりと思えば、残りの仕事を早く終わらせようと頑張れますが、決まった時刻までは絶対帰れないという状況ですと、その時刻までダラダラ仕事を続ける人も多いでしょう。

◆スケジューリング精度も向上する

さらに、タスクで区切ることの大事なメリットとして、**自分がやろうとしている勉強量がどれだけの時間で終わるか、という時間感覚の精度向上**があります。タスクで区切るとはいえ、夕飯やお風呂の時間はある程度決まっているので、その時間までにちょうど終わるようなタスク量を自分で設定することになるわけです。時間感覚の精度が低いと、夕飯までに全然タスクが終わらないことになります。それくらいのデメリットは大したことないですが、この時間感覚の精度が大事なのは、**スケジュールを正確に予測する土台になる**からです。

半年や1年の長期的な勉強計画を立てるときは、1日に進められる勉強量を見積ります。このとき時間感覚の精度が低いと、見積りが実際に進められる量よりも多すぎたり少なすぎたりして、適切な計画になりません。すると、計画を立てた後も何度も変更する必要が出て、二度手間、三度手間になります。また、気づいたときには、試験までに試験範囲を終わらせることができない状況になっていたということもあり得ます。だから、時間感覚の精度向上はとても大切です。

タスクで勉強を区切れば、この時間感覚を毎日何度も鍛えることになるのです。僕は物心ついたときからずっと、タスクで区切って勉強し続けてきたので、新しい分野の勉強であっても、かなり正確に、1時間で進められる勉強量を予測することができます。そういう状態になれば、長期的な勉強計画も、自信を持って立てることができます。

POINT

勉強は時間で区切らず、タスクで区切ったほうが良い。勉強中に適度な緊張感を維持できる、限界突破モードへ移行できる、スケジュール精度が上がるというメリットがある。

第3章

ジャンル別勉強テクニック

暗記系科目の勉強法

こんな試験に対応

大学受験

英語・日本史・世界史・地理・歴史・政治経済・倫理
生物・化学（計算分野除く）

資格試験

公務員試験・教員採用試験・司法試験・司法書士試験
弁理士試験・宅建試験・社労士試験・ＦＰ技能検定
その他法律系資格試験全般

暗記の三種の神器と、音読の原則

◆赤シート・青マーカー・ピンクペンを用意しよう

ここからは、僕が行っている具体的な暗記作業をご説明します。まずは暗記作業をするうえで必須の道具を紹介します。暗記作業をするときは、覚えたい箇所を隠して答えられるか、必ず確認しなければいけません。これをしなければ、その箇所を本当に覚えられたかどうかはわかりません。**そこで必要となるのが、まず赤シートと青マーカーです。**

すでに使っている人も多いと思います。覚えたい文字に青マーカーを引いてから、赤シートを被せると、マーカーを引いた部分が黒くなり、覚えたい文字が見えなくなります。マーカーは、赤シートを被せて黒く見えるようになれば良いので、緑マーカーなどでも大丈夫です。

そして、**もう1つ必須の道具がピンクペンです。**これは自分が参考書に書き込む内容の中に、覚えたい言葉があるときに使います。ある参考書に、別の参考書で調べたことなどを書き込むときや、参考書には掲載されていないけどテストに出た単語を参考書に書き込むときなどです。赤

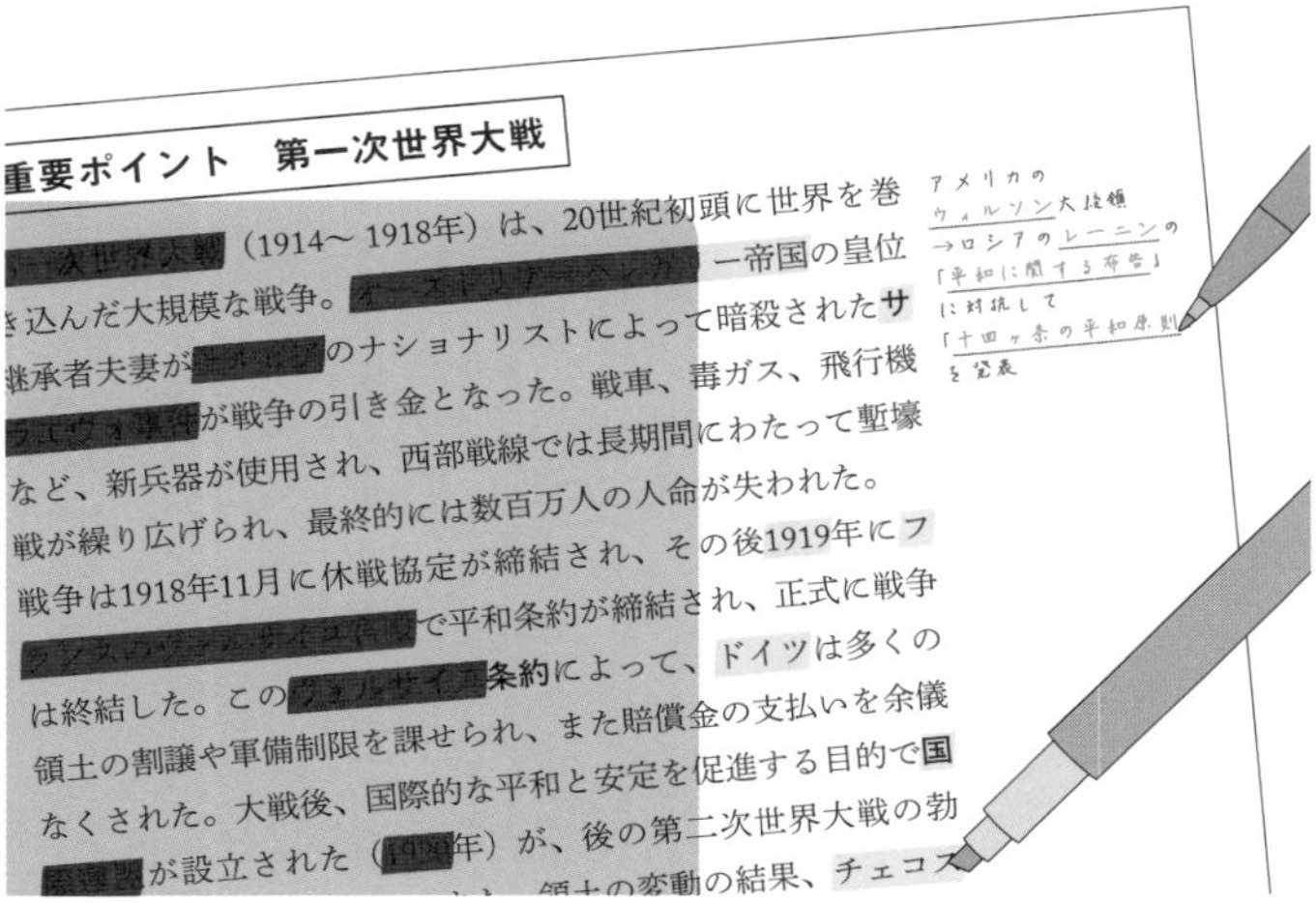

図3.1　三種の神器の使用例

シートを被せて見えなくなれば良いので、オレンジなど、赤色系の薄い色であればOKです。ピンクペンで書いた文字にはシャーペンでアンダーラインを引くのを忘れずに。赤シートを被せるとピンクペンで書いた文字は消えてしまうので、シャーペンの黒線が、そこに覚えるべき文字が書かれている印となります（図3・1）。

基本的には、**参考書を読むときは、覚えたい箇所に青マーカーを引きながら読み進めます。**読んでいるときに、わからない箇所が出てきて**ほかの参考書で調べたりしたら、その内容をピンクペンで書き込みます**（覚えなくて良い補足説明などはシャーペンなどで書き込んで良いです）。僕は赤シートと青マーカーとピンクペンを合わせて、暗記の三種の神器と呼んでいます。

一番優秀な暗記手段は音読である

家庭教師をしていると、生徒が大きく分けて3つの手段で暗記していることに気づきます。「見る（黙読含む）」・「書く」・「音読」の3つです。この中で暗記手段として一番優秀なのは音読です。**時間対効果を考えると、ダントツで音読が有効**だと思っています。

見るだけで暗記しようとしている人が多いのに驚きます。しかし、見るだけではなかなか頭に入りません。というのも、知識を頭に効率よく入れるためには、暗記しているときの刺激が強ければ強いほど良いのです。この点から、見るだけだと刺激が弱すぎます。もちろん映像記憶という、見たものを一瞬で覚えられる能力を持っている人はいるので、そういう人は見て覚えれば良いと思いますが、ほとんどの人はそうではないので、見て覚えるのはやめておきましょう。

よくあるケースが、自分では映像記憶を持っていると認識しているが、実は全然そうではないケースです。確かに平均的な人よりは見て覚えられるけれども、並外れたものではない。なのに、見て暗記しようとして成果がイマイチ…というパターン。成果が出ていないのであれば、見て暗記する方法はやめましょう。

また、書いて覚えるのは、見るという目からの刺激と、書くという腕の動作の刺激で、見るよりも遥かに強く、知識を脳に刻むことができます。が、いかんせん書くという行為は時間がかかります。1回書いている間に5回は音読できるので、書く行為は暗記という意味において、時間効率が悪い方法です。ただし、漢字や英語のスペルを書かされる試験（大学入試の二次試験など）に向けて勉強するときは、漢字や英語のスペルは書いて覚えるべきでしょう。

これらの方法に比べ**音読は、見るという目からの刺激、口を動かす刺激、自分の声を聞くという耳からの刺激など、多くの刺激を伴い、脳に強く知識を刻み込めます。**それと同時に、書くよりも遥かに短時間ですみます。見るよりも時間はかかりますが、そう大きな差ではありません。ということで、時間対効果を考えると、音読が、見る・書くを圧倒しています。

◆効率よく覚えるための音読のコツ

僕が暗記のために音読するときに注意していることが3つあります。**速めに読むことと、局所的に何度も読むこと、普通の声量で読むことです。**

まず、速めに読むことについてですが、これは単純に時間対効果を考えてのことです。僕は、覚えるべき単語だけではなく、その前後の文脈も覚えたいので、参考書の文字すべてを音読するようにしています。だから、できるだけ速く勉強を進めるためには、音読も速くする必要があります。ただし、自分の理解できるスピードに抑えてください。理解せずにひたすら口を動かすのはただの口の筋トレになってしまい、あまり記憶できません。自分の頭がついていける速度内で、可能な限り速く、というのが音読のスピードとして大切なことです。

次に、局所的に何度も読むことについてです。同じページ内でも、覚えやすい部分、覚えにくい部分というのは出てきます。長めの英文や外国の偉人名などは覚えにくいものです。そういう部分は5回、10回と音読したうえで、目をつぶって空で言えるか確認してから次へ進みます。

そして最後に声量です。声量は大きすぎず、小さすぎず、いつも話すのと同じ大きさが良いです。無理に大きな声を出すと、声を出すことに意識を取られて効率よく覚えることができません。逆に小さすぎると、耳からの刺激を十分に得られません。カフェなど外で勉強するときは、周りに聞こえないぐらいの小声にならざるをえませんが、自分が部屋で勉強するときは、普通の大きさの声を出しましょう。

自室で勉強するときも、家族に対して恥ずかしがって、小声でしか音読しない人が意外といます。その誰の得にもならない恥じらいは捨てましょう。せっかく自室という整った環境で勉強するのですから、一番効率の良い方法で勉強したいものです。

POINT

赤シート・青マーカー・ピンクペンは暗記作業に必須の三種の神器。覚えるときは、見る・書くよりも、音読が圧倒的に効率が良い。音読するときは、速めに読む、局所的に何度も読む、普通の声量で読むようにしよう。

まずは「行き戻り暗記」で覚える

僕が行っている暗記作業には大きく2種類あります。「行き戻り暗記」と「通しで確認」と呼んでいるものです。「行き戻り暗記」は、**ある範囲を初めて暗記するときや、一度暗記したけど、全然定着していないときに行う暗記作業です。「通しで確認」は一度暗記した範囲で、ある程度知識が頭に残っているときに行う暗記作業です。**この項では「行き戻り暗記」について詳しく説明し、次項の「ある程度定着したら『通しで確認』する」で「通しで確認」について詳しく説明します。

まず前提として、この「行き戻り暗記」は、69ページでご紹介した11周のうち、**3周目で行う暗記作業です。**1周目の黙読、2周目の音読のときに、覚えたい箇所に青マーカーを引いておきましょう。また、自分で参考書に知識を追記するときは、覚えたい内容をピンクペンで書くのを忘れずに。そして3周目で「行き戻り暗記」を行います。「行き戻り暗記」のメリットは、間違いやすい箇所ほど何度も覚えることと、忘却曲線を意識して、忘れかけているときに再度暗記するということです。

✦ 間違いやすい箇所ほど何度も覚える

それでは具体的な作業内容です。参考書を10ページ覚える場合を例に取って説明します。まず1ページ目は赤シートを使わず音読します。細かいところまでしっかり音読してください。その際、覚えにくいなと感じた箇所は局所的に何度も音読することを心がけてください。

次に、2ページ目も赤シートを使わず、同じように音読します。その後は1ページ目に戻ります。今度は赤シートを使って、マーカーの部分やピンクペンで書いた部分を隠しながら言えるか確認します。このとき答えられなかった箇所にはシャーペン（赤シートを被せても見えるペン）でチェックをつけ、覚え直すためにその言葉を何回か音読しましょう。1ページ目全体にチェックをつけ終わったら、チェックをつけた箇所を頭から、再度隠しながら言えるか確認します。このとき答えられなかった箇所にはさらにチェックをつけます。つまり二重のチェックになるということです。また、先ほどと同じように、その言葉を何回か音読しましょう。二重のチェックをつけ終わったら、さらに今二重にチェックをつけた箇所を頭から、再度隠しながら言えるか確認します。このとき答えられなかった箇所にはさらにチェックをつけ（三重のチェックになります）、その言葉を音読します。

このように**繰り返して、チェックがつかなくなるまで何周もします**（これは11周の周回数には含

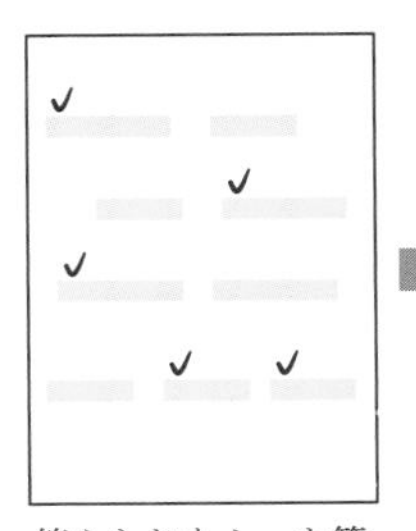

答えられなかった箇所にシャーペンでチェックをつける。

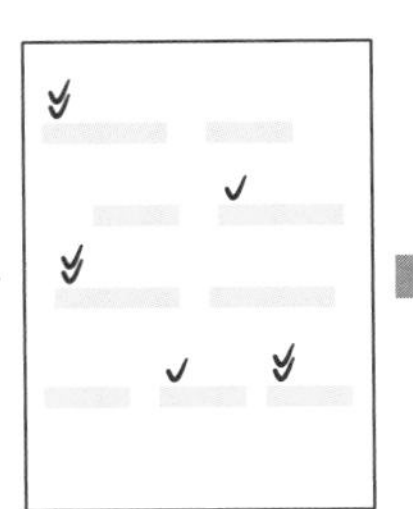

チェックをつけた箇所を答えていき、答えられなかったらさらにチェックをつける＝二重のチェックになる。

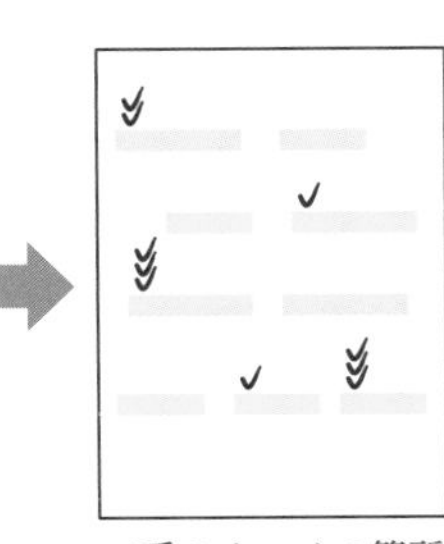

二重のチェックの箇所を答えていき、答えられなかったらさらにチェックをつける=三重のチェックになる。
以降、チェックがつかなくなるまで繰り返す。

図3.2　何度もチェック作業

めません。あくまで、3周目の作業内容です)。チェックをつける箇所はどんどん減っていくので、いずれ終了します。この、チェックがつかなくなるまで何周もする作業を**「何度もチェック作業」**と呼ぶことにします（図3・2）。この方法の良いところは、間違えやすい箇所ほど、高頻度で確認するところです。何も考えずとも、機械的にこの作業をするだけで、覚えづらい言葉ほど何度も短い間隔で繰り返し覚えることになります。**覚えやすい言葉は少ない回数ですませ、覚えにくい言葉は高頻度で繰り返す。**だから、効率的に頭に叩き込むことができます。

✦ 一度覚えた数分後に再度覚える

ここまでの流れを初めからおさらいすると、

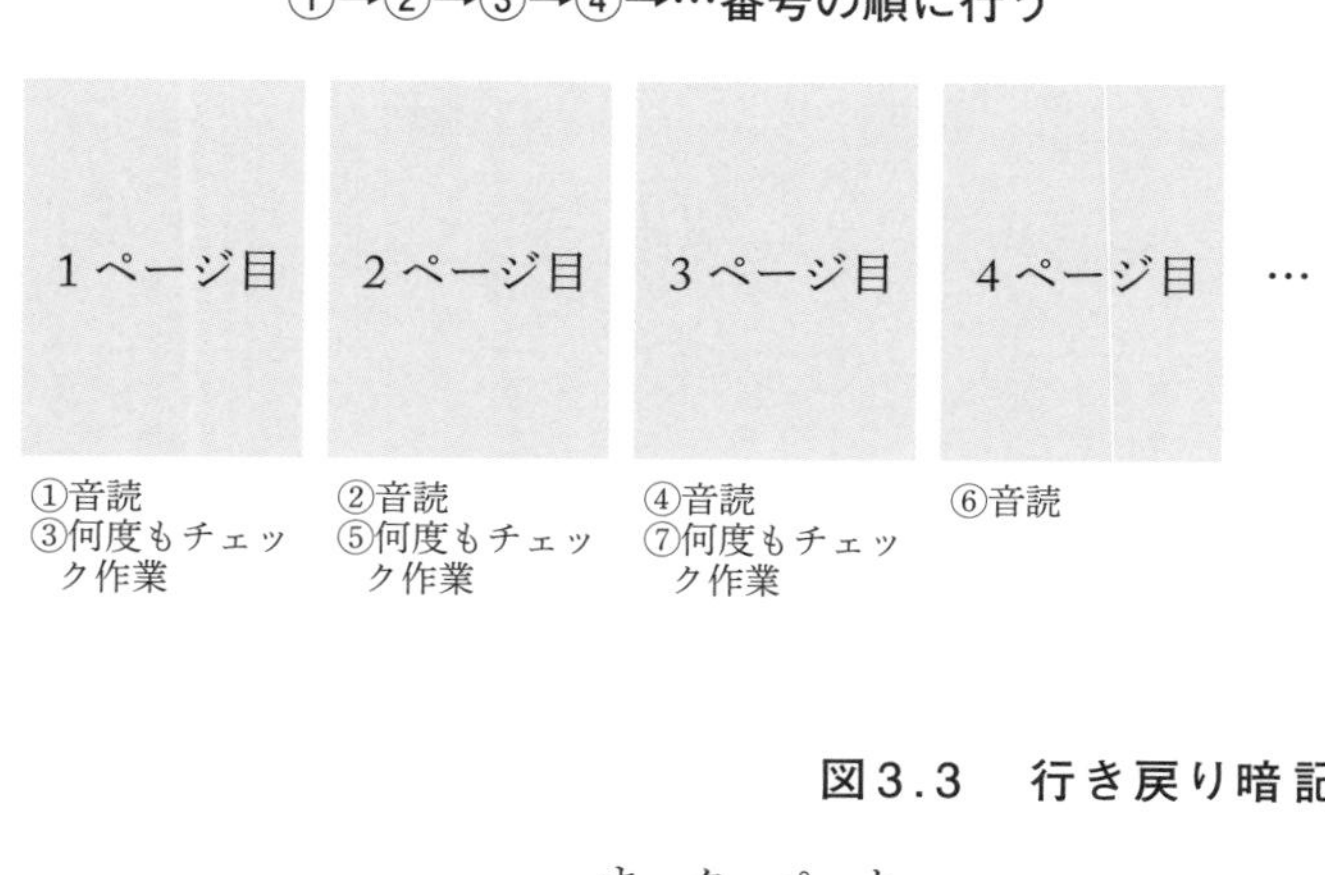

図3.3　行き戻り暗記

① 1ページ目を音読する

←

② 2ページ目を音読する

←

③ 1ページ目で「何度もチェック作業」をする

という流れになります。以降は同じように、次のページを音読→前のページに戻って「何度もチェック作業」をする、ということを繰り返します。つまり次の作業は、

④ 3ページ目を音読する

←

⑤ 2ページ目で「何度もチェック作業」をする

←

⑥ 4ページ目を音読する

←

⑦ 3ページ目で「何度もチェック作業」をする

ということです（図3・3）。このように、ページを進んだり戻ったりすることから「行き戻り暗記」と呼んでいます。

…

「行き戻り暗記」のポイントは、**音読で軽く頭に入れた知識を、忘れかけたときに「何度もチェック作業」で再度覚える**ということです。61ページ「勉強を始める前に、まず自分の忘却曲線を調べよう」でご説明したように、しっかり暗記作業をした後であれば、その記憶は数日間頭の中に残ります。しかし、ほぼ初めての知識を2、3度音読した程度では、数十分、記憶力が弱い人であれば数分で、多くの記憶が抜け落ちてしまいます。しかし、知識が脳からこぼれ落ちそうになるそのときに、再度知識を脳に詰め込めば、記憶は強固になります。忘れかけそうなときに再度暗記するのが、記憶を効率よく定着させるポイントでしたね。

この**「行き戻り暗記」では、あるページを音読した後、そのページで「何度もチェック作業」をするまでに、少し時間を置くことになります**（例えば、図3・3で2ページ目の音読をするのは②ですが、何度もチェック作業するのは⑤です）。これが「行き戻り暗記」の一番大事なポイントです。この時間で、音読で覚えた知識を少し忘れるまで待っているのです。そして、半分くらい忘れたところで「何度もチェック作業」をします。これで記憶が強固になります。

さて、目標ページ数である10ページまで行き戻り暗記を終えたら、今日は終了！…ではありません。10ページ目まで進めたら、1ページ目や2ページ目の記憶が薄まっています。なので、もう一度この10ページを通して、記憶の確認と定着をしなければなりません。このときに行う作業が「通しで確認」です。次項でご説明します。

POINT

まだ定着していない範囲は、まずは「行き戻り暗記」をする。「行き戻り暗記」では、次のページを音読したら、前のページに戻って「何度もチェック作業」をする。「何度もチェック作業」は、覚えづらい箇所ほど何度も繰り返し記憶するための方法である。

ある程度定着したら「通しで確認」する

◆今日覚えたい範囲全体を通して何周もする

前項の「行き戻り暗記」の続きです。引き続き、10ページ覚えることを例に取って説明します。「行き戻り暗記」を終えたら、次に「通しで確認」します。これは、その日覚える予定の全ページを通して、「何度もチェック作業」(図3・2参照)をすることです。「行き戻り暗記」の中では、「何度もチェック作業」は、1ページ内で覚えていないところを繰り返し確認する暗記作業でした。**「通しで確認」では、その日覚えるページ数が10ページであれば、10ページ全体を通して、覚えていないところを繰り返し確認します**(これは11周の周回数には含めません。あくまで、3周目の作業内容です)。

「通しで確認」はこうです。1ページ目から、赤シートを使ってマーカーを引いた部分やピンクペンで書いた部分を隠し、それらすべて答えられるか1つずつ確認していきます。答えられなかった箇所はさらにチェックをつけ、覚え直すためにその言葉を何回か音読します。1ページ目が終わっても、先頭に戻ることはせず、そのまま2ページ目、3ページ目、…と進んでいきます。そして、その日覚える予定の最後のページである10ページ目に到達したら、1ページ目の頭に戻り、今チェックをつけた箇所のみ再度、答えられるか確認していきます。答えられなかった箇所はさらにチェックをつけ、何回か音読します。この作業をまた10ページ目まで進めていき、10ページ目に到達したら、1ページ目の頭に戻ります。そしてまた、今チェックをつけた箇所のみ、再度答えられるか確認していきます。こうして、チェックがつかなくなるまで何周も繰り返します（図3・4）。

何周もすると言うと、なんだか大変なように聞こえますが、「行き戻り暗記」でしっかり覚えた直後なので、答えられない箇所はそんなに多くないはずです。2周、3周程度で終わります。2周目、3周目は、前回の周回で間違った箇所のみの確認ですから、全然時間はかかりません。**この「通しで確認」をすることによって、今日覚えた知識を、最初から最後まで、むらなく記憶できることになります。**

この際、1つ注意があります。「通しで確認」をするということは、すでに「行き戻り暗記」でつけたチェックが残っているわけですが、このすでにあるチェックマークは消さないでください。チェックが多くついているところは間違えやすいという目印になりますし、その多くのチェックを見ただけで、「そういえばこの言葉、覚えるのに苦労したなぁ」と、記憶が蘇り、強

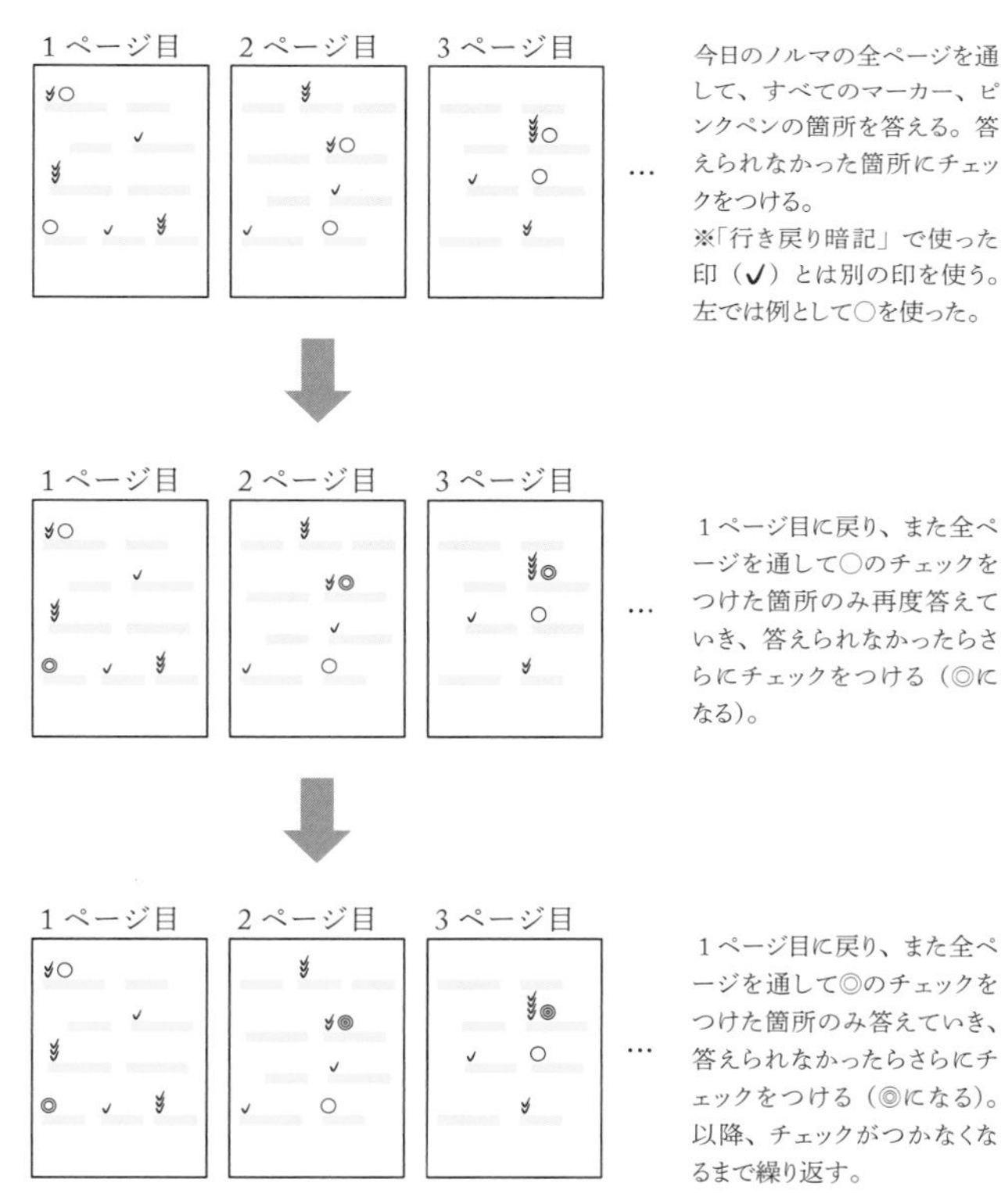
1ページ目
2ページ目
3ページ目
…
今日のノルマの全ページを通して、すべてのマーカー、ピンクペンの箇所を答える。答えられなかった箇所にチェックをつける。
※「行き戻り暗記」で使った印（✓）とは別の印を使う。左では例として○を使った。
1ページ目
2ページ目
3ページ目
…
1ページ目に戻り、また全ページを通して○のチェックをつけた箇所のみ再度答えていき、答えられなかったらさらにチェックをつける（◎になる）。
1ページ目
2ページ目
3ページ目
…
1ページ目に戻り、また全ページを通して◎のチェックをつけた箇所のみ答えていき、答えられなかったらさらにチェックをつける（◎になる）。以降、チェックがつかなくなるまで繰り返す。

図3.4　通しで確認

化されます。また、見分けやすいように、「行き戻り暗記」で使ったチェックマークとは別の記号を使ってチェックしてください。僕はよく、◯（間違えると◎、◎になる）を使ったり、「正」（間違えるたびに一画増える）を使ったりします。

◆ 4周目以降は基本的に「通しで確認」のみ行う

さてこれで、3周目の暗記作業をすべてご説明しました。ざっくりまとめると、「行き戻り暗記」でほぼ初見の知識を徹底的に頭に叩き込んだ後、「通しで確認」で全体をむらなく記憶するということです。

4周目以降の暗記作業については、基本的にはこの「通しで確認」をします。「行き戻り暗記」はしません。**3周目でしっかり暗記作業をしているので、4周目ではある程度の記憶が残っています。**だから、「行き戻り暗記」のように、覚えた数分後に再度覚えるということはしなくて良いのです。

ただ時々、「あれ？ 4周目なのに全然記憶に残ってないや」ということは起こります。4周目の暗記作業（通しで確認）をしているときに、正答率2割を切る、みたいなときですね。そのときは仕方がないので、3周目と同じく、「行き戻り暗記」をした後、「通しで確認」をします。こういう場合は周回する間隔が間違っていることが多いです。5周目は予定より早めに着手するように計画を修正しましょう。

◆常に「記憶の土台づくり」と「記憶の完成」を意識する

ここまで読んでくれた方はお気づきかもしれませんが、**僕の暗記方法は、日々の細かい作業から、長期的な計画まで、常に「記憶の土台づくり」（定着していない知識を頭に叩き込むこと）と「記憶の完成」（ある程度覚えた知識をむらなく定着させること）の繰り返しです。**日々の作業では、「行き戻り暗記」と「通しで確認」でそれを実行しています。長期計画を立てる場合でも、78ページ『2：1ルール』でスケジュールを組み立てる」でご紹介した通り、「記憶の土台づくり」の期間と「記憶の完成」の期間に大きく分けて考えます。これは、忘却曲線を意識して暗記のタイミングを調整することと同じくらい、僕が暗記において重要視している考え方です。この2つのエッセンスだけでも取り入れて頂けたら、暗記系科目の成績は大きく向上すると思います。

POINT

ある程度覚えた知識は、「通しで確認」をして、むらなくしっかり定着させよう。今日覚えたい範囲全体を通して、覚えづらい所を何度も繰り返し記憶する方法である。暗記作業を行うときは、常に「記憶の土台づくり」をした後「記憶の完成」をするという意識を持とう。

マスターできた状態とは？

✦自分の感覚ではなく、客観的な基準に従ってマスターできたか判断しよう

このように暗記作業を繰り返すと、「そろそろこの本はマスターできたかな」と思うときが来るでしょう。では、今取り組んでいる本をマスターできたかどうかは、どう判断すれば良いのでしょうか？　自分の感覚？　違います。必ず客観的基準に従って判断するべきです。自分の感覚は正確ではないし、状況によって簡単に甘えが出てしまいます。勉強したつもりなのに、**いざテストになると良い点数が取れなかったり、学んだ知識を業務で活かせなかったりするのは、感覚で「マスターできた」と判断してしまっているからです。**

数百ページの本を暗記する場合、僕がマスターできたとする基準は、**「最後の暗記作業終了後、1週間後の定着率が9割以上」**です。もちろん10割、全部完璧に覚えているという状態が望ましいですが、定着率を9割にするための時間と10割にするための時間とでは、倍くらい違ってくるので、時間効率を意識して9割としています。この基準は、テストでの目標点数に従って、少し高くしたり低くしたりして、調整してください。

定着率の計測方法ですが、ある参考書を11周して覚えた後、1週間後に自分をテストします。各章ごとに何ページかランダムに選んで、そのページ内の覚えるべき箇所を赤シートで隠しながら答えられるか確認し、正答率を計算します。この正答率が定着率です。もし定着率が悪い章があれば、その章のみ「通しで確認」の方法で覚え直します。その数日後、その章から、前回よりは多めに何ページか選んで、9割以上覚えているか再度確認します。

理想はこの覚え直しが発生しないことです。もし覚え直しが発生してしまったら、暗記作業の回数や間隔で改善できるところはないか考え、次の本を暗記するときに活かします。こうして試行錯誤しながら、定着率が9割以上になると自信を持って言える周回数や間隔を確立するのです。

◆一度決めた基準は忠実に守るべし！

人間というものは、隙あらばなまけてしまうもので、一度決めた基準がだんだん緩くなってしまうことがままあります。9割以上の定着率を基準にすると決めたのに、「ここのところ業務が立て込んでいたので…」と、8割5分でOKにしてしまうなど、何かと理由をつけてハードルを下げてしまいます。その理由が正当なものだったとしても、基準を下げてはいけません。確かに、仕事が忙しくなると定着率は落ちてしまうでしょう。実際、思い通りに勉強時間を取れない時期は、社会人ならよくあります。しかし、そういうときは、**基準を緩めるのではなく、次の週にその範囲をもう一度やり直して、9割の定着率になれば合格とします。**一度決めた基準を越えるまで、繰り返しましょう。

一度基準を緩めてしまえば、さらに緩めてしまうことに繋がり、長期的にどんどん基準が下がってしまって、気づけば7割でＯＫになっていたりします。その場では自分をごまかして楽をできても、後々、目標を達成できずに悲しい思いをすることになります。基準を緩めることについては、「二度あることは三度ある」ではありません。「一度あることは何度でもある」です。

POINT

覚えたかどうかの判断は、自分の感覚に依存せず、定着率を使った客観的な基準に従うのが大切。一例として、僕は「最後の暗記作業終了後、1週間後の定着率が9割以上」という基準で判断している。一度決めた基準は忠実に守り、緩めないようにしよう。

思考系科目の勉強法

こんな試験に対応

大学受験

数学・物理・化学・地学（計算分野）

資格試験

公務員試験（数的処理）・SPI・アクチュアリー資格試験・公認会計士試験・税理士試験・簿記・その他会計系資格試験全般

すべてのパターンを網羅し、理解して覚える

思考系の科目といっても、基本は暗記です。まずはよく出る問題、つまり典型問題の解き方を覚えます。典型問題攻略のポイントは、すべてのパターンを網羅すること、そして理解して覚えることです。

◆ 必要な難易度以下の問題の解き方をすべて覚える

すべてのパターンを網羅すると述べましたが、ここでいう「すべてのパターン」とは、試験合格などの目標達成に必要な難易度以下の問題の解法パターンすべて、ということです。文字通りすべての解法を覚えましょう。自分の判断で勝手に飛ばしてはいけません。

飛ばされがちな解法の代表例は「別解」です。数学や物理などの思考系科目は、ある問題について、オーソドックスな解き方とは別に、少し特殊な解き方だけど、速く解ける解き方、という別解もよくあります。そんなとき、面倒くさがり屋さんはどちらか片方の解き方を覚えて終わりにすることが多いです。「オーソドックスな解き方さえ覚えていれば大丈夫だろう。適用できる問題が多いはずだ」、あるいは、「速い解き方だけ覚えていれば良いだろう。試験には制限時間があるんだから」と、言い訳をつけて飛ばします。

でも両方覚えなければダメです。問題によっては、どちらか一方の解き方でしか解けないこともあります。また、どちらかの解法の考え方を応用した解き方が後々出てくることもあります。**今解いている問題よりも一段階上のレベルの問題を解くための豊かな土壌を作るイメージです。**

同じようなことが類題にも言えます。元の問題とかなり似ている問題を、「この問題はさっき解いた問題と同じ公式を使うだけだからやらなくて良いだろう」と飛ばしてしまう人がいます。これもやめましょう。公式の使い方が少しでも変われば解けなくなる人が大半です。この後詳しく説明しますが、少しだけ違う問題をたくさん解くということは、応用力を付けるうえで欠かせないことです。

早く学習を進めたい気持ちを抑えて、別解も類題も含めて、すべての解法をきっちり覚えましょう。それが長期的に見れば、目標のレベルへたどり着く最短ルートなのです。

◆理解するとは、解き方の原理を知ることと、問題を抽象化すること

数学に取り組んでいるときに、「解法丸暗記ではダメだよ、ちゃんと解き方を理解しないとダメだよ」というアドバイスは、誰しも一度は聞いたことがあるのではないでしょうか。そのアドバイスは正しく、数学だけではなく、思考系科目全般に当てはまることです。

では、思考系科目において「理解する」とはどういうことなのでしょうか。僕は2つの意味があると考えています。

①解き方の原理を知る

これが一般的に考えられている「理解する」ことの意味だと思います。例えば、「34×8」という掛け算をするときに、大抵の人は筆算をして272という答えを出せますね。筆算の手順を適用すれば簡単に答えは出せます。でもなぜその手順で解けるのかということを知っている人はそんなに多くはないでしょう。原理を知るというのはこういうことです。ただなんとなく「この手順を使えば解けるんだ」と覚えるのではなく、「なぜこの手順で解けるか」まで知るということです。

本題とはそれてしまうので、筆算についての詳しい解説は省きますが、解き方の原理を知って

いれば、グンと応用力が上がります。筆算を習い始めの小学生でも、「34×8」という2桁×1桁の掛け算の原理を知れば、2桁同士の掛け算や、それ以上の桁数の掛け算の原理も理解でき、少しの練習で解けるようになるでしょう。

② 問題を適度に抽象化する

「理解する」という言葉には、もう1つの意味があります。問題を適度に抽象化する、ということです。

思考系の問題は次の3つの組み合わせを覚えていれば解けます。「条件」「求めるもの」「解法」です。「〇〇のとき（条件）、□□（求めるもの）を求めよ」という問題に対して、その解法を知っていれば解けるということです。

類題練習を繰り返す中で、その類題に共通する「条件」「求めるもの」「解法」をそれぞれ過不足なく見出すことが、そのパターンの問題を適度に抽象化するということです。これら3つを適度に抽象化できれば、そのパターンの問題は条件が多少変わっても解けるようになります。この状態になれば、その問題は理解したと言えます。問題を適度に抽象化することのイメージをつかむために、こんな問題を考えてみます。

問題　自動車が時速50kmで走っています。2時間で何km進みますか？

答えは50×2で100kmです。このように解けるのは、僕たち大人は、速さと時間がわかっているという条件のもと、進む距離を求めたいなら、速さと時間を掛ければ良いと覚えているからです。

ですので、この問題での適度な抽象化のレベルというのは次のようなものになります。

条件「速さと移動の時間がわかっていること」
求めるもの「進む距離」
解法「速さと時間を掛ける」です。

一方で、あまり抽象化できていない状態は次のようなものになります。

条件「乗り物の速さと移動の時間がわかっていること」
求めるもの「乗り物の進む距離」
解法「乗り物の速さと時間を掛ける」

このように抽象化が足りないと、乗り物の問題しか解けなくなります。例えば、「人間が時速4kmで歩いています。2時間で何km進みますか？」という問題には対応できなくなります。

逆に、抽象化しすぎていても、ほかの問題に対応できなくなります。例えば、「速さ」「移動の時間」「進む距離」などの要素をざっくり「数値」のレベルまで抽象化して覚えてしまった場合です。この場合、2つの数値が問題文に出てきたら、とにかくそれらを掛けて答えるということになってしまいます。当然、足したり割ったりする必要のある問題もありますから、そういう問題は正解できません。

わかりやすさを重視して速さの基本という簡単な問題を例にしたので、適度に抽象化することがあまりに簡単に思えるかもしれません。しかし、問題が高度になればなるほど、当然その抽象化も難しくなり、できない人が増えていきます。皆さんも、**実は解法を知っている問題なのに、知っているとは気づかずに解けなかったという経験はないでしょうか？　それは、この抽象化が適切にできていないということなのです。**

◆理解することで、記憶を助け、未知の問題への対応力を養成する

ここまで理解するとはどういうことかを説明してきたので、理解することのメリットがぼんや

りとわかってきたでしょうか。ここで一旦、**理解することの2つの役割**を明確にしておきます。

1つ目は、**記憶の補助**です。解き方の原理を知っていれば、その解き方の記憶が薄れてしまってもすぐに思い出すことができます。解き方の手順の1つを忘れてしまっても、原理を覚えていれば、自分でその手順を導き出すことができます。もちろん、解き方の原理を忘れてしまってはどうにもならないですが、原理自体はそんなに多くないので、それだけは絶対に忘れないように繰り返し頭に叩き込みましょう。

理解することの2つ目の役割は、応用力、つまり**未知の問題への対応力を養う**ということです。例えば、先ほどの筆算の例ですと、2桁×1桁の掛け算の原理を知ることで、何度も機械的に手順を練習しなくても、3桁×1桁や、3桁×2桁の掛け算もなんとか解くことができるようになります。また、条件などが適度に抽象化できていれば、一見すると今まで解いたことのないような問題でも解けるようになります。丁寧に条件を整理してみれば、自分の知っている問題パターンだと気づけるからです。

◆無意識に解法が思い浮かぶように「覚える」

理解することの大切さは十分伝わったと思います。ではどうやって理解するか、です。解き方の原理を知ることについては、シンプルに、**問題集を解くときに、手順を追うだけではなく、一つ一つの手順について、なぜこの手順で解けるのか自問自答する**、ということが有効です。この「なぜ」に答えられないときは、ほかの詳しい本で調べるなり、自分よりも習熟した人に聞くなりして、きちんと消化することが大切です。地道で時間のかかる作業ですが、やることは明確です。

問題を適度に抽象化することについては、意識して試行錯誤する必要があります。ある問題を解いたときに、一旦その問題の条件と求めるものを抽象化してみる。そして類題を解くたびに、抽象化の度合いが適正なものになるよう頭の中で調整する。これを繰り返して、最適な抽象化の度合いを見つけるのです。

例えば、先ほどの速さの例を考えてみます。「自動車が時速50㎞で走っています。2時間で何㎞進みますか？」という問題を解いたときに、その条件を「乗り物の速さと移動の時間がわかっていること」と抽象化してしまったとします。しかし、「人間が時速4㎞で歩いています。2時間で何㎞進みますか？」という問題を解いたときに、もう少し抽象化して良いのだと気づきます。乗り物に限らないんだと。このように抽象化の度合いを最適化していきます。

しかし、最適化しただけではまだ不十分なのです。**問題の条件が複雑に絡み合っている状況でも、必要な条件がそろえば、その条件に合った解法が無意識に思い出されるようにしなければい**

けません。

　ランニングでも水泳でも、正しいフォームを意識して練習を繰り返していると、無意識でそのフォームで動けるようになります。それと同じことが思考系の問題でも起きます。

　解法を覚えたての頃は、抽象化された「条件」「求めるもの」「解法」を意識して問題演習をしますが、たくさん繰り返していると、意識せずとも、必要な条件がそろえば即座に、その条件から求められるものと解法が浮かぶようになるのです。そうすれば、複雑な条件の問題でも、自然とその条件に合った解法が思い浮かぶようになります。これはひらめきというものではなく、**抽象化された条件を意識しながら大量の問題演習をすることで身に付くもの**なのです。この状態になったときに、問題を「覚えられた」と言います。

POINT

面倒くさがらず、必要な問題は、類題もきちんとやり、別解の解法も覚えよう。問題演習をするときは、原理まで覚えること、条件などを適度に抽象化することを意識して。条件さえそろえば無意識に解法が浮かぶまで繰り返し問題演習をしよう。

思考のステップと網羅性を意識して練習しよう

✦難問だからといって簡単に飛ばさないこと

問題集を解いていると、少し解いてみてもまったく歯が立たず、解説に目を通しても何を言っているのかわからない、という問題に出会うことがあります。思考系科目が苦手な方は、そんな問題ばかりかもしれません。そこで、「いや、こんなに難しい問題は私は解けなくていい。ほかの科目で点数を稼ぐから」と、問題を飛ばす方も多いでしょう。目標とする試験等に出ない難易度の問題であれば、もちろん解ける必要はありません。が、目標とする試験に出る難易度であれば、本当にその問題を捨てていいのか、少し立ち止まって考えてほしいと思います。

ひと口に難問と言っても、練習してもなかなかできるようにならない問題と、練習すればできるようになる問題があります。前者は、その問題にだけ通用するひらめきを使う問題で、ひらめかない限り手も足も出せない、何も考えようがないというタイプです。後者は、**考えることが多すぎて、どこから手を付ければ良いのかわからない、でも何かしらやれることはあるというタイ**

プです。前者の問題は、練習しても解けるようになる人はまれですが、このタイプの問題が解けないと合格できない試験はほぼありません。東大の数学ですら、このタイプの問題が解けなくても合格できます。一方、**後者のタイプの問題は練習すればできるようになります。**なのに、練習しない人が多くてもったいないです。**このタイプの問題ができるようになれば、ライバル達から頭一つ抜けることができます。**そして、一段上の資格や学校に合格したり、一段上のレベルのスキルを身に付けたりできるようになって、人生が大きく変わるのです。

◆多くの難問は思考のステップと枝分かれが多いだけ

後者のタイプの問題、つまり、考えることが多すぎる問題を解けないのは、実は解けないのではなく、解こうとしていないからです。考えることが多すぎて、大げさに言えば頭がパニックになり、考えることを放棄してしまいます。このタイプの問題は次の2つのどちらか、または両方の特徴を持っています。

①思考のステップが多い

②思考の枝分かれが多い

①について、**思考のステップとは、典型問題の解法を何個つなげれば解けるか、ということです。**例えば、典型問題というのは、Aという条件を与えられたらBという結論が出る、というように、「AならばB」と、1ステップ考えれば答えが出ます。このBという結論をもとに、また別の典型問題の解法を使ってCという結論を出せば、2ステップ思考したことになります。

1ステップの問題は多くの人が解けますが、答えを出すのに2ステップ必要な問題になるだけで、正答率はグッと下がります。2ステップだけだとまだ簡単に思えるかもしれませんが、これが3ステップ、4ステップとなると、解ける人はほとんどいなくなります。思考が途中で切れてしまうのです。2ステップ、3ステップくらい考えて答えにたどり着かなければ、考えるのがしんどくなって、そこで諦めてしまいます。あと1ステップか2ステップで解けるのに…。こういう問題が解けるようになるためには、「思考持続力」を鍛える必要があります。文字通り、思考を続ける力です。この鍛え方は後ほど説明します。

②について、**思考の枝分かれとは、与えられた条件が広すぎて思考を進められないとき、きちんと条件を細かく分けてから考えを進める、ということです。**例えば、「人間ならば夢を持つべきか?」という問いに対して、ひと口に人間と言ってもいろんな人がいるんだから一概には答えられないと思うかもしれません。ですがそこで思考を止めずに、与えられた条件である「人間」を、未就学児、学生、社会人、老人のように自分が考えやすいように場合分けして、それぞれに

ついて考えるのが、思考を枝分かれさせるということです。

実際の問題でも、与えられた条件が広すぎるときは、条件を適切に場合分けすると、それぞれの条件に典型問題の解法を当てはめて解けるようになることが多いです。このような問題に出会ったら、多くの人は思考が停止してしまいます。「条件が広すぎる、どこから手を付ければ良いんだ」と。さらに、「条件を細かく場合分けすれば切り口が見つかるかもしれない」と思ったとしても、答えにたどり着くまでの道のりがかなり長いことが想定されるため、答えを出すことを諦めてしまいます。

でも冷静に見てみると、①の特徴の問題も、②の特徴の問題も、**特別なひらめきは不要で、典型問題の解法を組み合わせるだけなので解けないはずはないのです。**ただ、普通の典型問題の数倍は考え続ける必要があるから、考えるのが面倒になり、途中で、いや、ほとんどの場合ハナから、諦めてしまうのです。

◆考え続ける力「思考持続力」を鍛えよう

では、思考のステップや枝分かれが多い問題に出会っても、圧倒されずに「ああ、それくらいなら答えを出し切れるよ」と思うためにはどうすれば良いのでしょうか。そのためには、先ほど述べた**「思考持続力」**を鍛えることが大切です。僕の指導経験上、１つの問題について深く考え続けられる時間は、多くの人は3分もありません。さらに言えば、「たくさん考え続ける必要がありそうだ」と予想すると、3分も経たずに考えることを放棄する人が大半です。もったいない。考えれば考えるほど、思考持続力は少しずつ伸びていくのに…。

思考持続力を鍛えるためには、もちろん、これらのタイプの問題演習を多く積むことは有効です。問題演習をするときに、すぐに解答を見ずに、自分の今持てる知識で解けるところまで解きましょう。ほかにも、日頃から、**ニュースや他人との会話をきっかけにして疑問が出てきたとき、いきなり答えを調べるのではなく、できる限り理由を深掘りして、適宜場合分けもしながら、なんとか自分なりの答えを出してみる**という癖を付けるのもとても有効だと思います。

POINT

練習すれば解けるようになる難問は多い。思考のステップや枝分かれが多いだけで、基本は典型解法の組み合わせである。対策として、このタイプの問題演習を多く積むと同時に、日頃から疑問に思ったことに対して、調べる前に、自分で考えて自分なりの答えを出すという訓練をしよう。

読解系科目の勉強法

こんな試験に対応

全試験共通

小論文・面接（論理的な受け答え）

大学受験

現代文（論説文）・英語（長文読解）

資格試験

公務員試験（文章理解・英語）・教員採用試験（小論文）・司法試験（論文）・司法書士試験（論文）・弁理士試験（論文）・そのほかある程度長い文章の読み書きが必要な試験全般

難しい文章を理解できるようになるまでの道のり

大学受験では、僕の現代文の成績はほかの教科に比べるとやや劣っていました。良いときもあるけど、ひどく悪いときもあるというように、安定しなかったです。現代文の参考書は結構な数読みましたが、あまり変わることはありませんでした。僕の話はわかりづらいと言われることもしばしば…。

しかし、社会人になり、経営コンサルタントとして働き始めてから、自分でも驚くほど文章読解が得意になり、伝わりやすい話し方もわかるようになりました。家庭教師として共通テストの現代文を解くこともありますが、間違えることはほぼなくなりました。

これは、経営コンサルタントとして働いていたときに、論理的思考力を徹底的に鍛えられたからです。この経験から言えることは、**現代文、とりわけ、論説文の読解については、訓練次第で見違えるほどできるようになる**ということです。

ここでは、「読解系科目」の勉強法を説明しますが、対象は現代文と英語、そのほか外国語の論説文とします。論説文と言っても、大学受験や資格用の勉強だけではなく、社会人が普段読むであろう、業務レポート、専門的な論文、ビジネス書なども対象です。これらを素早く正確に読むために役立つ勉強法を紹介します。

✦「ピラミッド読み」を意識する

僕が経営コンサルタントとして働き始めたとき、まず教えられたのが、論理的な文章の書き方でした。自分の考えた戦略をクライアントに採用してもらうためには、わかりやすく、かつ説得力のある文章で考えを伝える必要があります。

論理的な文章とは、非常にざっくり言えば、1つの主張を頂点とするピラミッド構造になっています。伝えたい主張があり、それを支える理由A、理由B、理由Cがある。理由Aは、さらに理由A―①、理由A―②、理由A―③に支えられている、という具合です（図3・5）。図3・5では3段までしか書いていませんが、必要に応じて、4段目、5段目まで深掘るときもあります。論理的な文章がピラミッド構造を持つことは非常に有名なので、ご存じの方も多いと思います。

僕が気づいたのは、**書くときだけではなく、読むときもこのピラミッド構造を意識しながら読むべきだ**ということです。そうすれば、大意を外すことなく、同時に、全体の流れを頭に残しな

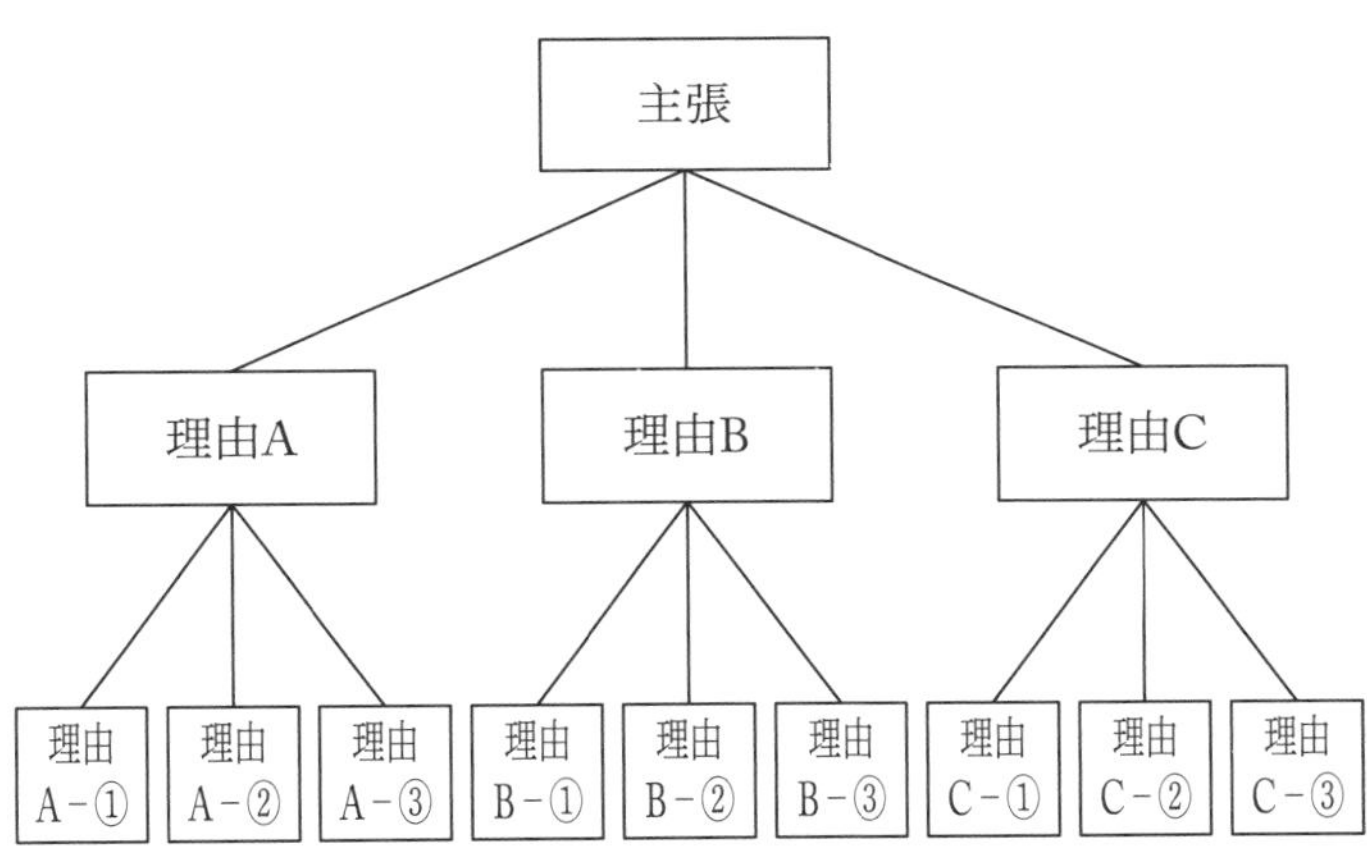

図3.5　ピラミッド構造

がら読み進められます。大事なところのみに注目するので速く読めますし、読んだ後に内容が頭に残っていない、ということも防げます。ピラミッド構造を意識しながら読むことを**「ピラミッド読み」**と呼んでいます。

主張や理由の並べられ方は文章によってさまざまです。最初に主張が来て、次に理由Aが来る。その後、理由Bが来たかと思えば、理由A—①を説明して、また主張を繰り返すなど。何も考えずに読んでいるだけだと、筆者が今なぜこの話をしているのかわからなくなることもあるでしょう。文章の迷路に迷い込んだように感じるかもしれません。でも**頭の中でピラミッド構造を作りながら読んでいれば、それが地図のような役割を果たします。**今読んでいる文が、文章全体の中のどの部分の話をしているかが明確になり、戸惑うことなく読めるようになるはずです。

✦「ピラミッド読み」は構造書き出し・語彙増加・作文で鍛える

ピラミッド構造を頭で作りながら読めるようになるには、どうすれば良いのでしょうか。まず、文章を読みながら、ピラミッド構造を紙に書いていくことは非常に効果の高い練習です。この練習方法は次項の「『ピラミッド読み』で大意をつかんで頭に残す」で詳しく述べますが、この練習をするためには、少なくとも2～3文のかたまりの意味を正しくつかめていることが前提となります。2～3文のかたまりの意味をつかめるようになるためには、**語彙を増やす、係り受けを理解する、接続詞の前後関係を理解する**、という3つが必要となります。

まず、語彙についてです。一文を正しく理解するためには、その文に出てくる言葉の意味をすべて知っておく必要があります。だから語彙を増やすことが大事です。**語彙を増やすためには、日頃から文章を読んでいるときに未知の言葉に出会ったら、逐一その意味をネット検索なり辞書なりで調べる**ということが、地道ではありますが有効です。

普段から仕事で文章を読む機会が多い方は、その機会を利用して語彙を鍛えましょう。あまり文章を読まない職業に就いている方は、仕事に関連するテーマや興味のある分野の新書を読むのが良い練習になります。自分にとって簡単すぎず、難しすぎず、数ページに１つ知らない単語が出てくるような文章が丁度良いと思います。あるいは、大手新聞社のニュースを毎日読むのも良いでしょう。ネットに無料で公開されている記事も多いので、気軽に始められます。

次に、係り受けについてです。係り受けとは、「主語と述語」「修飾語と被修飾語」の関係です。つまり、係り受けを理解することは、文の主語と述語を見抜くこと、どの言葉がどの言葉を修飾しているか見抜くということでもあります。一文の意味を理解するためには、言葉すべての意味を知っているだけでは不十分で、この係り受けを理解する必要があります。文によっては、係り受けとして複数のパターンが考えられる場合があるため、そういうときに正しい係り受けを読み取れることが目標です。

例えば、「僕は花を好きな美しい君が好きだ」という文があるとします。この文では、「美しい」が修飾している言葉は「君」しかあり得ません。しかし、「僕は美しい花を好きな君が好きだ」と書かれた場合、「美しい」が修飾するのは「花」かもしれませんし、「君」かもしれません。筆者がどちらを意図しているか確定するためには、この文の前後の文脈から読み取る必要があります。このように、ある文を読んだときに、複数の係り受けの可能性に気づくこと、そして前後の文脈から、筆者が意図する係り受けを読み取れることが、読解をするうえで大事です。

最後に、接続詞についてです。接続詞とは、「しかし」「だから」「つまり」など、文と文のつながりを明らかにするための言葉です。簡単に文と文のつながりがわかるので、2~3文のかたまりの意味をつかむためには特に意識したい言葉です。一文の意味を正しく理解できても、一文と一文の関係を理解しないと、2~3文のかたまりで趣旨を理解することは難しくなります。そのため、接続詞を正しく理解することが必要となります。接続詞の前後の意味を確認しながら読むのは当然だと思う方もいると思いますが、意外にできていないことが多いです。皆さんの中にも、学生時代、国語の接続詞の穴埋め問題が苦手だった方はいるのではないでしょうか。

語彙力の鍛え方は、先ほど述べた通り、普段から文章を読み、未知の言葉の意味を調べるということでした。**係り受けや接続詞の理解を深めるためには、僕の指導経験上、作文が有効だと考えています。**わかりやすい文章を書こうとするときは、この二者を正しく使いこなす必要があります。係り受けや接続詞に強い意識を持って作文の練習をしていると、読むときにも自然とそれらに意識が向くようになります。作文の練習方法については、283ページ「文章を書く練習をすることで読解力も上がる」で説明します。

POINT

頭の中にピラミッド構造を作りながら読む「ピラミッド読み」ができるようになると、難しい文章でも素早く正確に読めるようになる。そのためには、ピラミッド構造を書き出す練習と、語彙の強化、作文練習が有効である。

「ピラミッド読み」で大意をつかんで頭に残す

✦ピラミッド構造に使われる論理展開には2種類ある

ピラミッド構造を頭の中に作りながら読む「ピラミッド読み」によって、大意を外すことなく、全体の流れを頭に残しながら読むことができるのは、すでに述べた通りです。

そんな「ピラミッド読み」ができるようになるには、まず文章におけるピラミッド構造とは何かを知る必要があります。詳しく知りたい方は、ピラミッド構造を初めて提唱したバーバラ・ミントさんの本『考える技術・書く技術─問題解決力を伸ばすピラミッド原則』（ダイヤモンド社）を読んでみてください。ただ、この本はなかなか難しく、読み通すのに時間がかかるので、ここでエッセンスだけ紹介します（わかりやすくするため、多少のアレンジを加えています）。

論説文では当然、筆者は考えを論理立てて主張しています。実は、この論理展開の方法には大きく分けて2種類しかありません。**「具体と抽象の論理」**と、**「直線的な論理」**です。

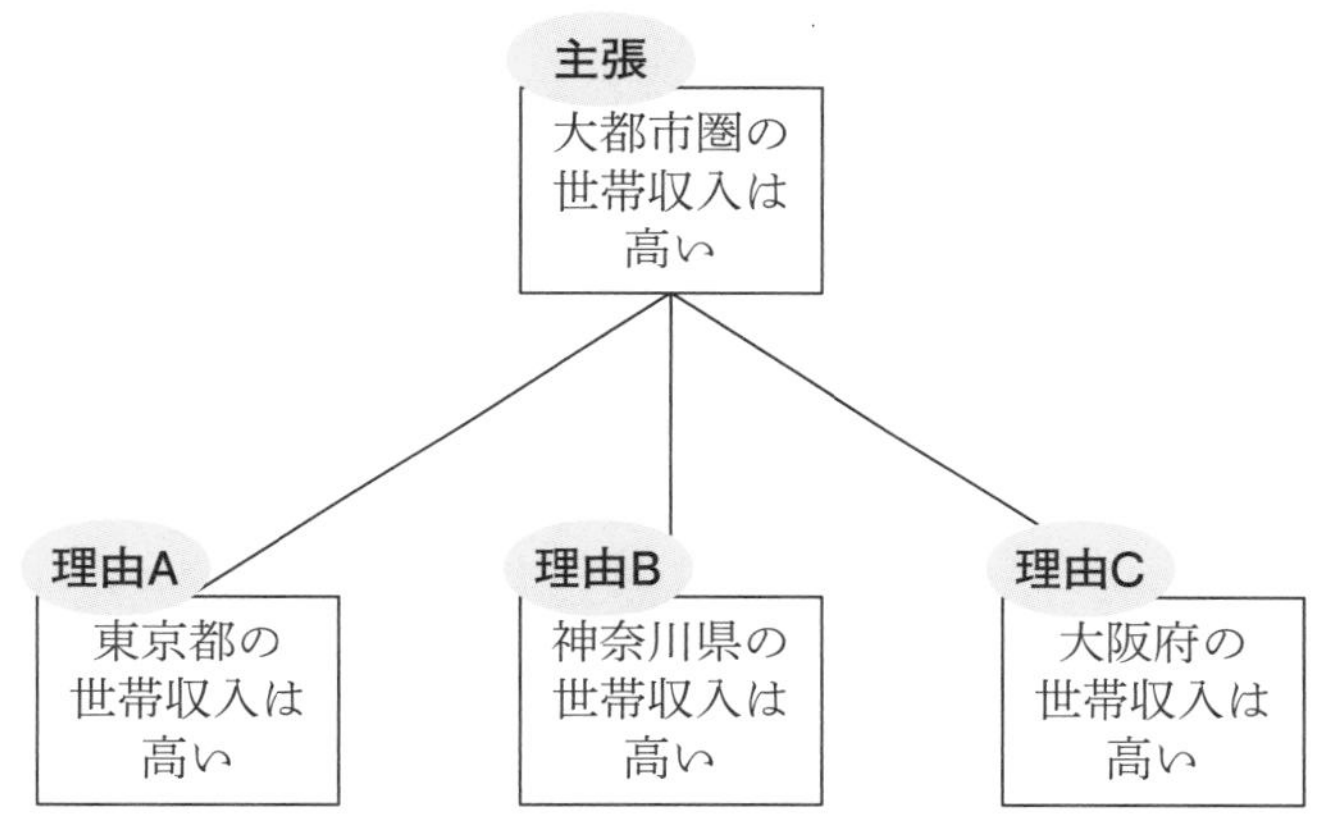

図3.6　具体と抽象の論理例①

「具体と抽象の論理」というのは、複数の具体例から、共通する情報を取り出し（＝**抽象化し**）**、結論を導く論理です。**例えば、「東京都の世帯収入は高い」「神奈川県の世帯収入は高い」「大阪府の世帯収入は高い」という3つの具体例から、「大都市圏の世帯収入は高い」という結論を導くことです。東京都、神奈川県、大阪府はすべて大都市圏ですから、このように抽象化できます。

ピラミッド構造では、主張を上部に書き、それを支える理由を下部に書きます。「具体と抽象の論理」の主張とは結論そのものであり、具体例が主張を支える理由となります。ですので、「具体と抽象の論理」をピラミッド構造にする際は、抽象化した結論（主張）を上に書き、その下に理由となる具体例を横に並べます（図3・6）。

主張とそれを支える複数の理由が、具体と抽象

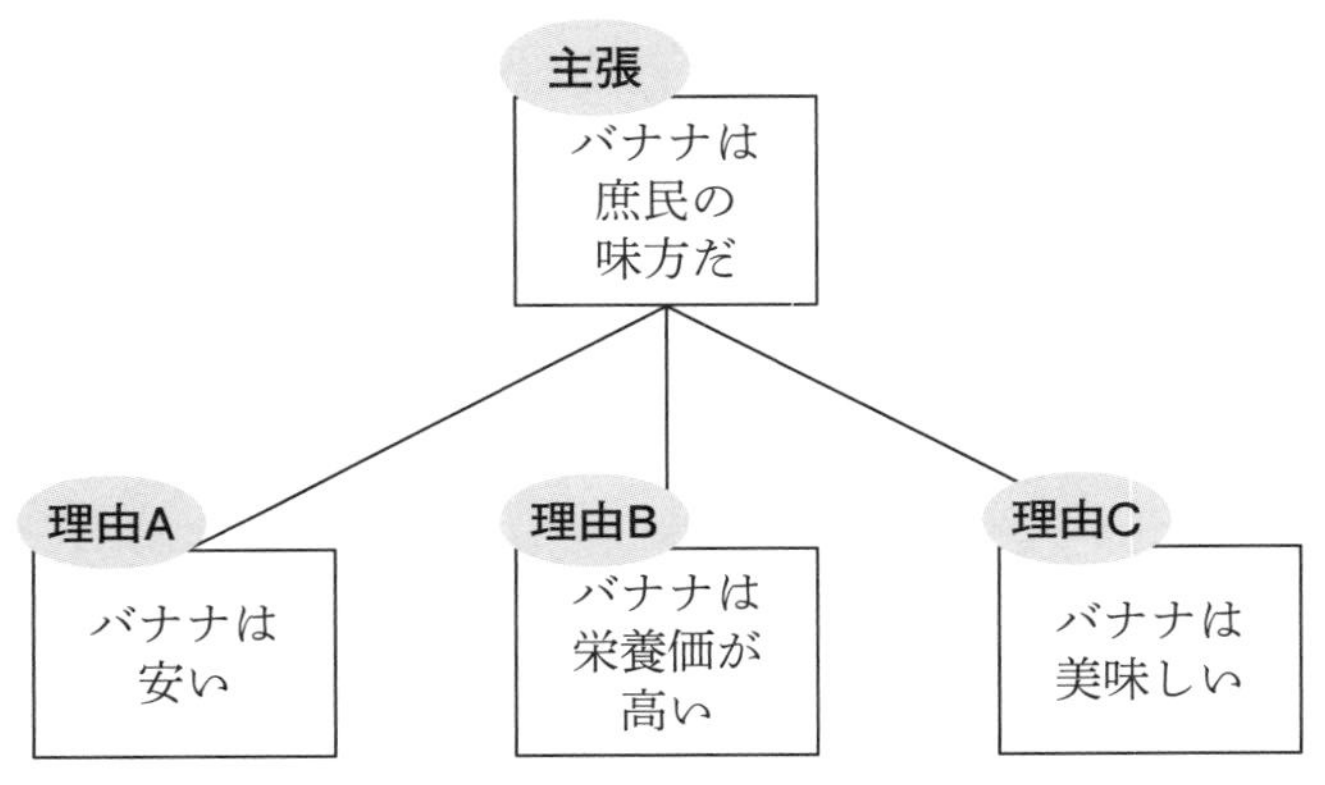

主張とそれを支える複数の理由は、具体と抽象の論理になる。

図3.7　具体と抽象の論理例②

の関係になっていることに違和感を覚える人もいるかもしれません。でも、よく考えてみると、実際そうなっていることに気づきます。例えば、こんな文章を考えます。

バナナは庶民の味方である。なぜなら、第一にバナナは安い。300円もあれば一房買えて、家族全員で楽しむことができる。第二にバナナは栄養価が高い。カリウム、食物繊維、ビタミンなど、不足しがちな栄養素をバランスよく含んでいる。第三にバナナは美味しい。なんとも言えない適度な甘みがある。

この文章をピラミッド構造に表すと、図3・7

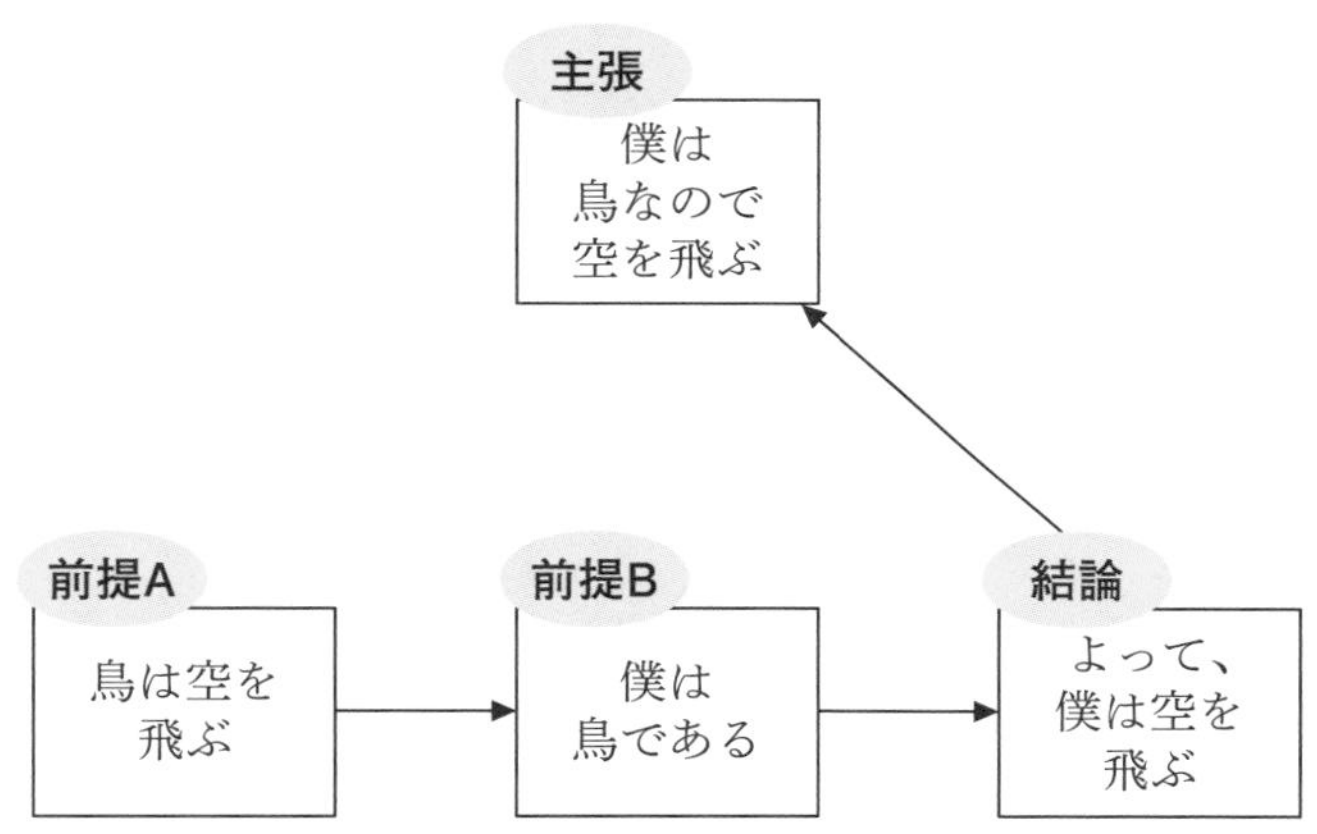

図3.8　直線的な論理例①

のようになります。ピラミッド構造にしてじっくり眺めてみると、下の理由の一つ一つがバナナの具体的特徴であり、上の主張を具体化した情報だと気づきます。

一方、**「直線的な論理」というのは、いくつかの前提と結論を連続して結び付けていくものです。**「直線的な論理」の代表例は三段論法です。一般論やルールを述べ、具体的な事実を述べた後、一般論やルールをその事実に当てはめて結論を導きます。例えば、「鳥は空を飛ぶ」（一般論）、「僕は鳥である」（具体的な事実）、「よって、僕は空を飛ぶ」（結論）という話の進め方です。一般論、具体的な事実という2つの前提から、最後の結論を導いていています。

ピラミッド構造の上部に主張を書くのはすでに

述べた通りです。「直線的な論理」の主張は、前提から結論をまとめたものとします。この三段論法の例ですと「僕は鳥なので空を飛ぶ」となります。ただ、これは原則であり、実際の文章では、ほぼ結論のみを繰り返して主張としたり、前提と結論を別の表現で言い換えて主張とする場合もあります。

ピラミッド構造の下部には、主張を支える理由や根拠を書きます。「直線的な論理」では、前提と結論の全部が、主張を導くための根拠となっているので、それらすべてを主張の下部に並べます。さらに、「具体と抽象の論理」のように、主張とその理由をそれぞれ線で結ぶのではなく、各前提、結論、主張を順番に矢印で結んで書きます（図3・8）。これは、前提と主張がダイレクトにつながっているわけではなく、最初の前提を出発点とした一連の流れで主張にたどり着くことを表しています（図3・5ピラミッド構造例は、わかりやすさを重視して、「具体と抽象の論理」だけで構成しましたが、実際のピラミッド構造には、「直線的な論理」も混ざります）。

注意しておきたいのは、「直線的な論理」は、三段論法に限らないということです。三段論法が代表例ではあるものの、色々なバリエーションがあります。例えば、先の例ですと、「僕は空を飛ぶ」の後に続けて、「よって、僕は橋を渡る必要はない」という結論が来ることもあり得ます。この場合、ピラミッド構造としては、前提から結論まで4つの箱が横に並び、その上に主張の箱がある図となります（図3・9）。このように、「直線的な論理」とは、いくつかの前提から

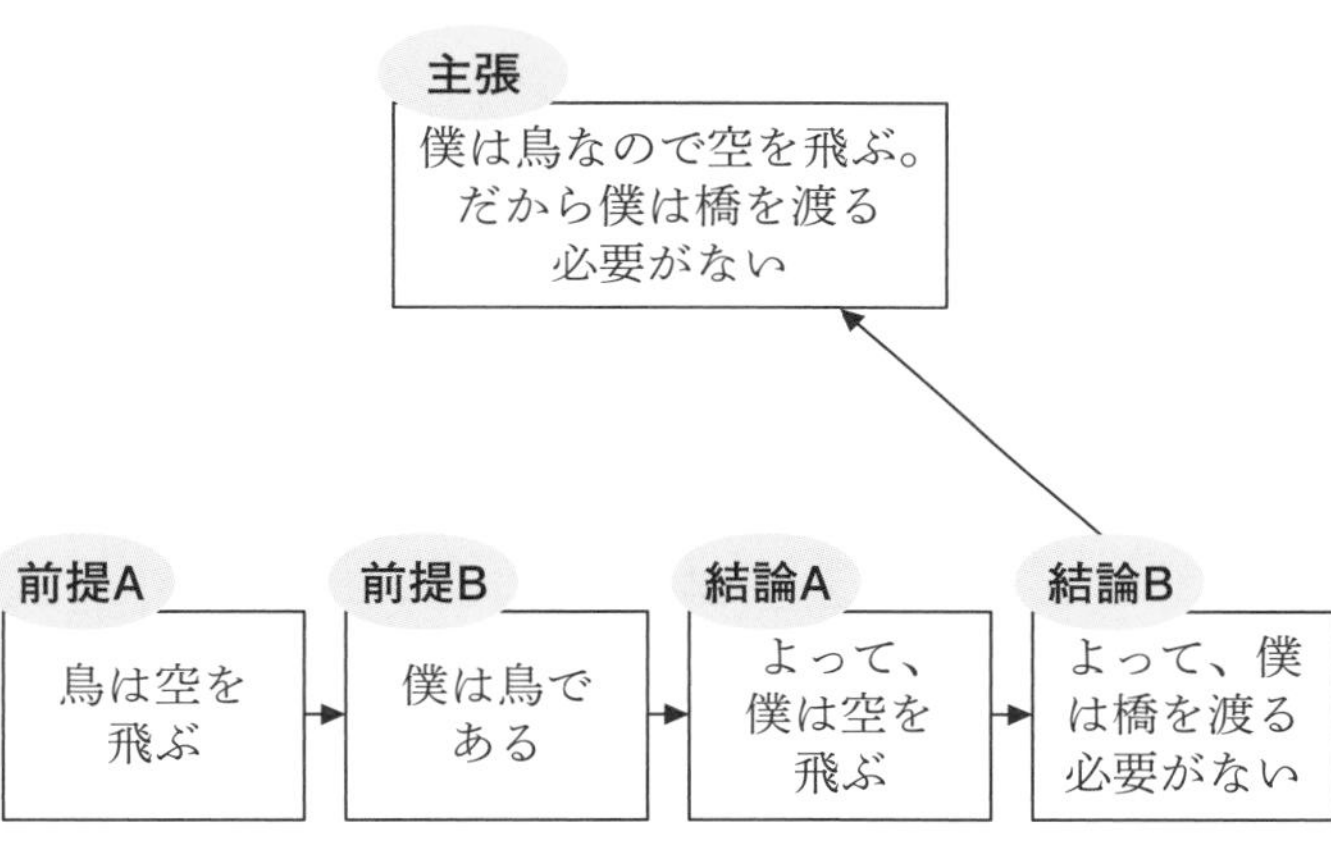

図3.9　直線的な論理例②

結論を導き、またその結論を前提として次の結論を導くというような、前提と結論を次々と結び付けていくものです。

どんな複雑な文章であっても、「具体と抽象の論理」と「直線的な論理」という2種類の論理を使ったピラミッド構造になっています。

「ピラミッド読み」をするに当たって、筆者が結論を導くために使っている論理が、「具体と抽象の論理」なのか、「直線的な論理」なのか、判断する必要があります。

この両者の決定的な見極め方は、結論を直接支える理由の数です。理由の数が複数であれば「具体と抽象の論理」、1つだけであれば「直線的な論理」となります。

「具体と抽象の論理」では、理由に共通する情報を取り出したものが結論になるという性質上、理由は必ず複数必要です。例えば、「大阪府の世帯年収は高い。よって大都市圏の世帯年収は高い」という文は、「具体と抽象の論理」を使っていますが、まったく説得力がありません。「大都市圏の世帯年収は高い」という結論を導くための具体例が「大阪府の世帯年収は高い」だけだと、「じゃあ、東京都はどうなの？」「ほかの大都市圏の地域はどうなの？」となります。複数の具体例を出すことで説得力はグッと増します。

一方、「直線的な論理」では、結論を支える直接的な理由は1つだけです。先ほどの例を見てみましょう。「鳥は空を飛ぶ。僕は鳥である。よって、僕は空を飛ぶ」という文を作りました。図3・8を見てもわかるように、「僕は空を飛ぶ」という結論を支える直接的な理由は「僕は鳥である」という1つのことがらだけです。

ここで、「鳥は空を飛ぶ」という前提も、「僕は空を飛ぶ」という結論の直接的な理由ではないのか？　と思う人がいるかもしれません。しかし、この両者を因果関係でつなげてみると、「鳥は空を飛ぶので、僕は空を飛ぶ」という文になり、すんなり納得できません。ですので、「鳥は空を飛ぶ」という前提は、結論の直接的な理由ではないのです。「鳥は空を飛ぶ」という前提の役割は、「僕は鳥である」から、「僕は空を飛ぶ」という、理由と結論の結び付きを、より強めているにすぎません。

「具体と抽象の論理」と「直線的な論理」の見極め方は、結論を直接支える理由の数ということを覚えておいてください。

◆「ほぼ日」の文章は「ピラミッド読み」の練習に最適

それでは、ピラミッド構造を頭の中で作りながら読むとはどういうことか、具体的に説明していきます。そのためには、練習するための文章が必要です。「ピラミッド読み」のための良い練習素材として、ネットで無料で読める「ほぼ日刊イトイ新聞」(https://www.1101.com/home.html)というものがあります。トップページにある「今日のダーリン」のコーナーの文章が「ピラミッド読み」の練習に最適です。かの有名なコピーライターであり、エッセイストである糸井重里さんが、毎日「エッセイのようなもの」を書いて公開してくれています(2023年7月14日時点。もし読者がこの本を読んでいるときに「今日のダーリン」のコーナーがなくなっていた場合は、後述するように、ネットで無料で読める大手新聞社のコラムをご活用ください)。

「ピラミッド読み」を訓練するために適した文章は次の4つの条件をクリアする必要があります。

① 文章のプロが書いた文章であること

②　3分で読める長さであること

③　語彙が簡単なこと

④　主張があること

①については、これは当然、クオリティの高い文章で練習したいからです。②については、毎日とは言わないまでも、頻度高く続けるには、長すぎる文章は負荷が高すぎて長続きしないからです。③については、ピラミッド構造を頭の中で作りながら読むことに集中したいからです。難しい語句が含まれていると、その語句で引っかかって、ピラミッド構造に集中できません。④については、論理展開を追うには主張の存在が不可欠だからです。世の中には、主張がないような文章も存在します。ただ事実を羅列したニュースだったり、とりとめもない日記だったり。そういう文章には論理が存在しないので、論理を追う練習はできません。

以上の4つの条件をクリアしている文章として、新聞のコラムも良いと思います。「新聞　コラム」とネットで検索すれば、無料で読めるものもたくさんあることに気付きます。大手新聞社のコラムであれば、文章のプロである記者・編集者が書いているでしょうから、良い練習素材になるでしょう。ただ、やはり文章が固くて日々続けるには少しつらいかもしれません。そういう訳で、「ほぼ日刊イトイ新聞」をおすすめします。話題がとても身近で、難しい語句もほぼ出てきません。それに、糸井さんの書く文章は読者の興味を強く惹くように書かれているので、退屈せず毎日続けやすいです。

◆実際に「ピラミッド読み」を練習しよう

それでは実際に、「ほぼ日刊イトイ新聞」の文章で、ピラミッド構造を作る練習をします。ピラミッド構造を頭の中で作りながら読むことを体験してみましょう。次は、２０２３年６月５日の「今日のダーリン」のコーナーに投稿された文章です。

※　米印とそれに続く文言（※前提A等）は原文にはありません。

※　引用文の後に僕の解説が続きます。まずは引用文を飛ばして解説まで進み、解説の指示に従って引用文を読んでください。

えー、本日も「今日のダーリン」というものを、書かせていただきます。
なんて書き出しても、あんまり違和感はなさそうだ。　**※前提Aの理由1**
ほんとうは本日の「今日のダーリン」を書きます、でいい。

さらに言えば、そんな断り書きはいらないし、
いつもそんなこと言わずにさっさと勝手に書き出している。
世の中が、いつのまにやら、
「させていただく」ことだらけになっていた。　**※前提A**
ご提案させいただく、お伺いさせていただくことばかりだ。
角が立たないようにという謙虚な姿勢でもあろうが、
それ以上に、「そちらさまが決めたんですからね」と
「責任みたいなもの」を引き受けたくない気持ちが見える。
なんでもかんでも「わたしが決めた」と言うのは無理だし、
意思の強い人間だぜと強がる必要もないけど、　**※前提Bの理由1**
先様にばかり決めさせるのは、ちょっとまずいだろう。

面接の合格法だとか、好かれるための技術だとか、
こうすれば印象がよくなるだとか、
ウケる番組をつくるにはとか、人気を上げるコツはとか、
「ご提案」や「お伺い」ばかりが研究されているが、　**※前提Aの理由2**

すべての判断を先方や世間がするという世界には、　※前提Bの理由2
みんなそろそろ疲れているのではないだろうか。　※前提B

この「させていただく」「いかがでしょうか？」の時代に、
なんとか耐性をつけて、元気でやっていくためには、
じぶん（たち）は「こうする」「こうしたい」ということを
少しずつでも増やしていく練習が必要である。　※結論A
ほんとうに「させていただく」「いかがでしょうか？」
でなくてはいけないことと、
実はじぶんで「こうする」と決めても大丈夫なことを、
よく考えて分別することからはじめようと、ぼくは思った。　※結論B
ぼく自身、もともと、それほど我が強いほうではないから、
そんなに「こうする」とがんばるつもりもない。　※結論Bの理由1
先様（さきさま）や世間や常識に関わりなく、
じぶんで決められることとはなんだろうと、
あらためて考えてみたいというだけのことだ。

そうすると「だれかに迷惑がかからない」のなら、
じぶんで決めての「こうする」ができるようだと思えた。　**※結論Bの理由2**
想像していた以上に、じぶんで決められることは多いのだ。　**※結論Bの理由3**
これ読んでるあなたも、分別をはじめてみてはどうだろう？

今日も、「ほぼ日」に来てくれてありがとうございます。
「じぶんで判断すること」はめんどうだけど、守りたいこと。　**※主張**

✦ ピラミッド構造を作るための解説

ピラミッド構造を作るとき、まず、筆者が強く伝えたいことは何だろうかと考えながら読みます。筆者が強く伝えたいことは、その文章の結論になります。

これは、文章のゴール（=結論）がわかった状態でそれまでの文章を読み返すと、ゴールまでの道筋（論理展開の方法）が鮮明に見えるからです。

それでは、結論は何だろうと考えながらこの文章を読み進めましょう。文章によって結論が出てくる位置はバラバラで、先頭に書かれることもあれば、一番最後に書かれることもあります。この文章では、「これが結論だ！」と確信できる内容はなかなか出てきませんので、「結論はまだかな…」としばらく探しながら読みましょう。

すると、**※結論Aの行を読んだときに、「必要である」という強い言い回しに気づき、これが結論かな、と考えます。**じぶんは「こうする」「こうしたい」ということを少しずつでも増やしていくべき、というのが結論だろう、と。自分の意志でやることを増やそう、ということですね。

結論を見つけたら、ここまでの文章をざっと読み返してみます。筆者はこの結論を導くために、**「具体と抽象の論理」か「直線的な論理」のどちらを使っているか考えながら読みます。**この判断のポイントは、結論を直接支える理由の数でしたね。理由が複数なら「具体と抽象の論理」、1つなら「直線的な論理」を使っているということです。

読み返すと言っても、頭から再度読むのではなく、**結論が書かれている場所から遡っていきます。**見つけるべきは、その結論を導く理由であり、理由は結論の近くに書かれることが多いためです。

※結論Aの行から遡っていくと、**結論A**のすぐ近く（**※前提B**の行）に読者に対する問いかけが見つかります。「すべての判断を先方や世間がするという世界には、みんなそろそろ疲れているのではないだろうか」とあります。この**前提B**の内容をまとめると、何でも「させていただく」

世界は疲れる、ということです。以降、これを**前提B**と呼びます。問いかけには、重要な内容が含まれていることが多いので注意深く内容を吟味してみます。すると、**前提B**が**結論A**の理由になっていると気づきます。何でも「させていただく」世界は疲れる（**前提B**）。よって、自分の意志でやることを増やそう（**結論A**）、ということです。

ここからさらに遡っていきますが、**結論A**を支える直接的な理由はほかに見つけることができません。**結論を支える直接的な理由が1つの場合は、直線的な論理を使っていると判断する**のでしたね。なので、この**結論A**は直線的な論理によって導かれたのだとわかります。

「直線的な論理」は複数の前提から結論を導きます。ということで、先ほどの理由「何でも『させていただく』世界は疲れる」（**前提B**）は、**結論A**を導くための前提だったことがわかります。**結論A**の直接的な理由は**前提B**以外に見つかりませんでしたが、代わりに、**筆者が観測した世の中の大前提**が書かれていることに気づきます。※**前提A**の行です。「世の中が、いつのまにやら、『させていただく』ことだらけになっていた」とあります。こういう**大前提は、「直線的な論理」で使われることが多い**です。ひとまず、この「世の中が『させていただく』ことだらけだ」という内容を**前提A**とします。

この文章では、「何でも『させていただく』世界は疲れる」（**前提B**）から、「自分の意志でやることを増やそう」（**結論A**）と述べられていました。この**前提B**と**結論A**は、「世の中が『させ

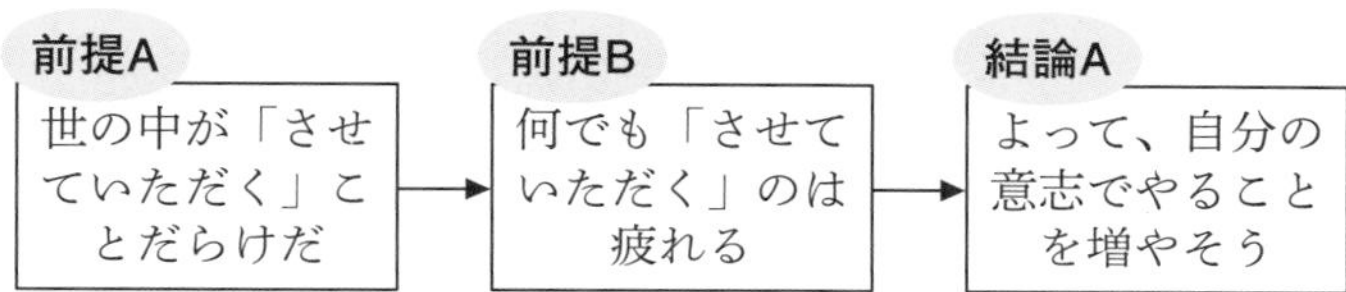

図3.10　「今日のダーリン」のピラミッド構造（途中経過①）

ていただく』ことだらけだ」という**前提A**があってこそ、強く結び付きます。現在の世の中が「させていただく」ことだらけで、疲れる場面が多いから、自分の意志でやることを増やしたい、ということです。ですので、この**前提A**も「直線的な論理」に組み込むべきだとわかります。

ここまでの内容をまとめると、世の中が「させていただく」ことだらけで、何でも「させていただく」のは疲れるから、自分の意志でやることを増やそう、ということです。これは「直線的な論理」ですので、構造にすると、図3・10のようになります。

ここまでの構造を理解できたら、今書いた構造を元にして、細部までピラミッド構造に落とし込んでいきましょう。**これまで読んだ文章の中か**

ら、それぞれの前提の正しさを支える理由を探します。まずは「世の中が『させていただく』ことだらけだ」（前提A）を支える理由を探すと、2つ見つかります。

1つ目は、実は冒頭の内容です。「えー、本日も『今日のダーリン』というものを、書かせていただきます。なんて書き出しても、あんまり違和感はなさそうだ」という部分（**※前提Aの理由1**の行）。さりげなく**前提A**の理由になっています。本来「書きます」でいいところを、「書かせていただきます」という書き方をしても違和感はない。よって、世の中に「させていただく」が十分浸透していると言える、ということです。

2つ目は、**※前提Aの理由2**の行です。面接の合格法などの「ご提案」や「お伺い」ばかりが研究されていると述べられています。「ご提案」や「お伺い」は先方の許可を取る行為であり、「させていただく」という行為の具体例です。よって、「『ご提案』や『お伺い』ばかりが研究されている」という話は、「世の中が『させていただく』ことだらけだ」という**前提A**の正しさを支える根拠・理由となります。この根拠については、さらに、面接の合格法や好かれるための技術などの一層細かい具体例が列挙されています。ここまでをピラミッド構造にすると、次ページの図3・11となります。

次に、「何でも『させていただく』のは疲れる」（**前提B**）ということの正しさを支える理由が

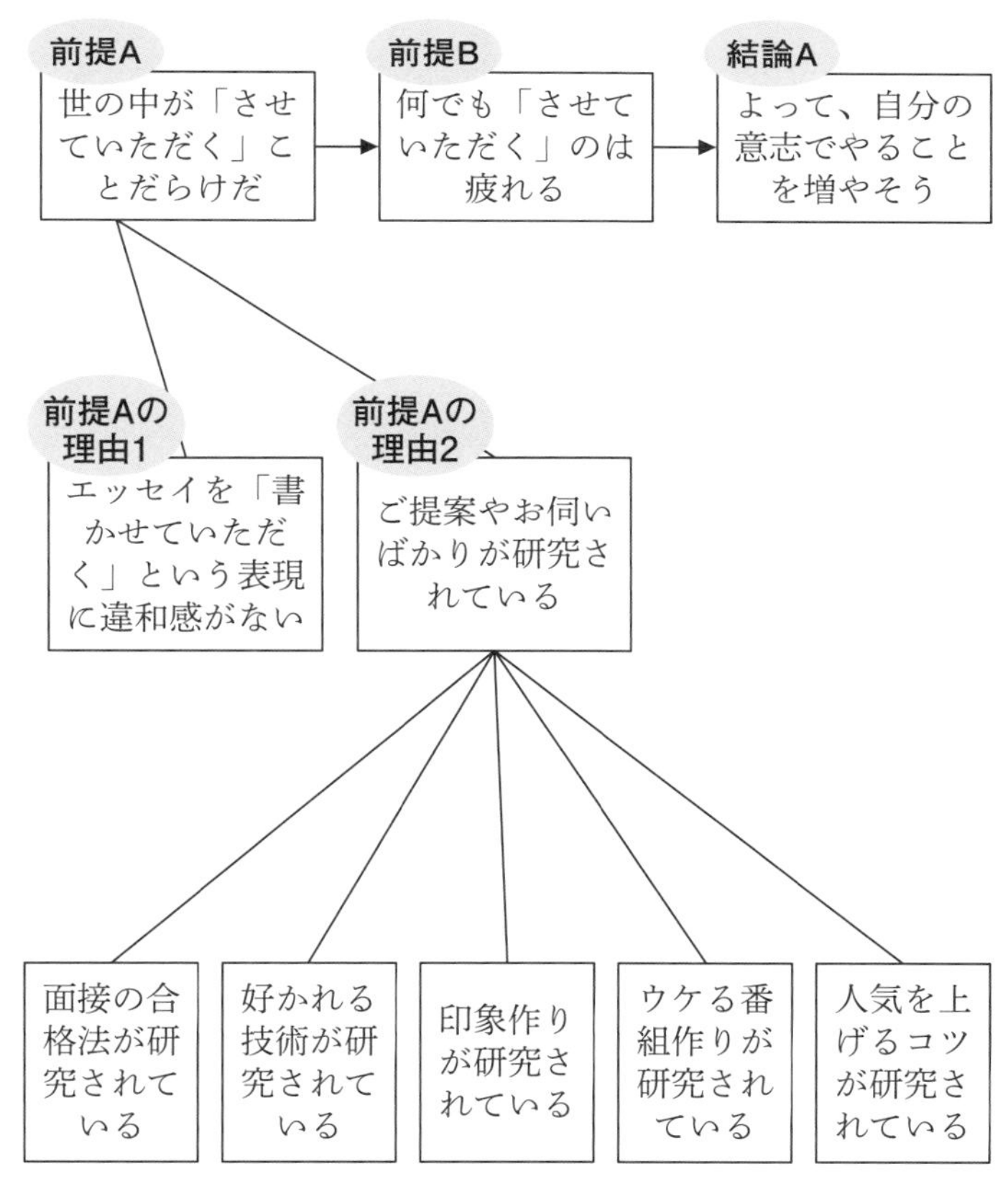

図3.11 「今日のダーリン」のピラミッド構造（途中経過②）

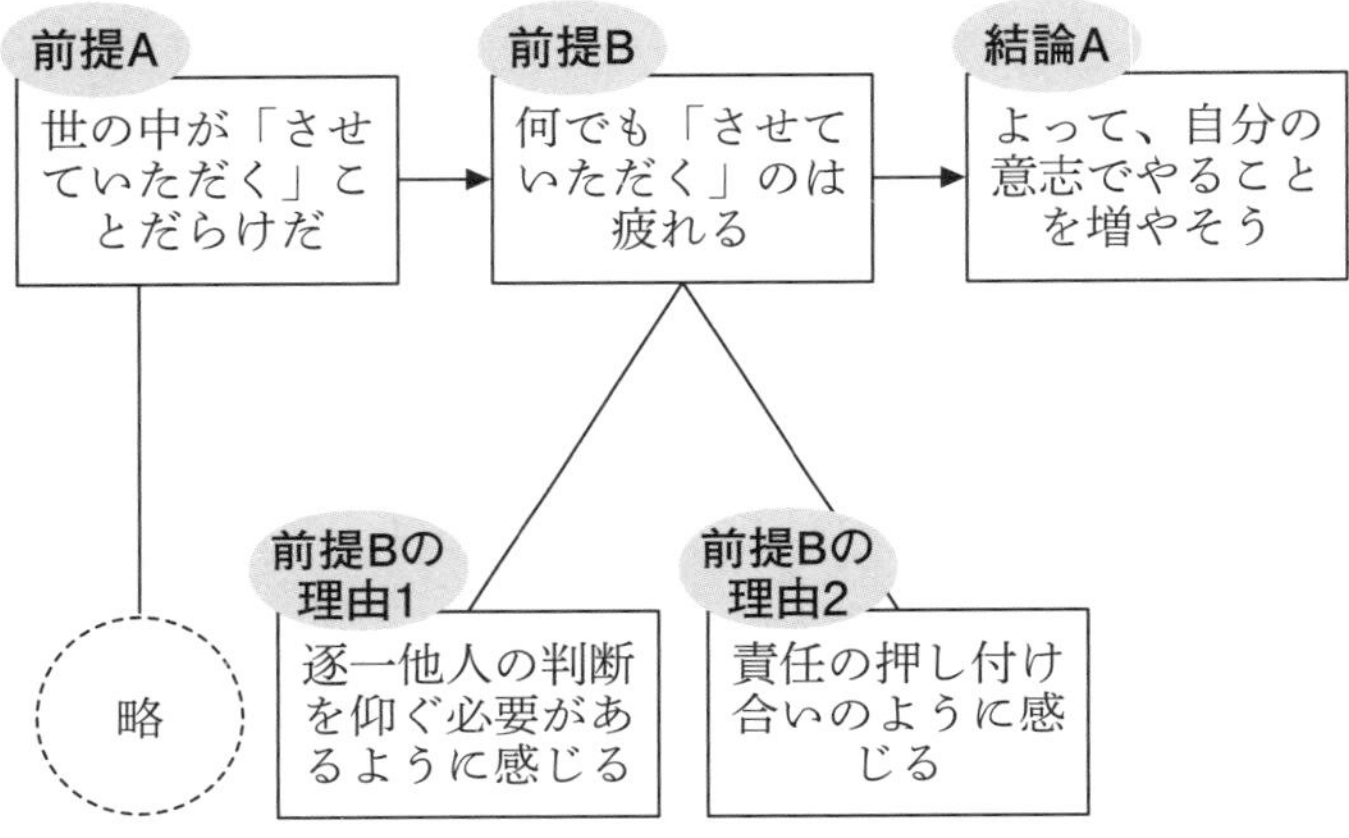

図3.12　「今日のダーリン」のピラミッド構造（途中経過③）

書かれていないか探します。まず**※前提Bの近く**を見てみると、その直前の**※前提Bの理由2**の行に、「すべての判断を先方や世間がするという世界」と書かれています。つまり、「させていただく」ばかり使っていると、逐一他人の判断を仰ぐ必要があるように感じるから、疲れるということです。これが1つ目の理由。

ほかにも理由はないか探してみると、**※前提Bの理由1**の行に、「『そちらさまが決めたんですからね』と『責任みたいなもの』を引き受けたくない気持ちが見える。」とあります。つまり、「させていただく」と言えば、相手に言われたからやるということになり、自分の責任にはならないということです。「させていただく」を言われる側の立場になれば、責任を押し付けられることになります。「させていただく」ばかりを使う世の中は、

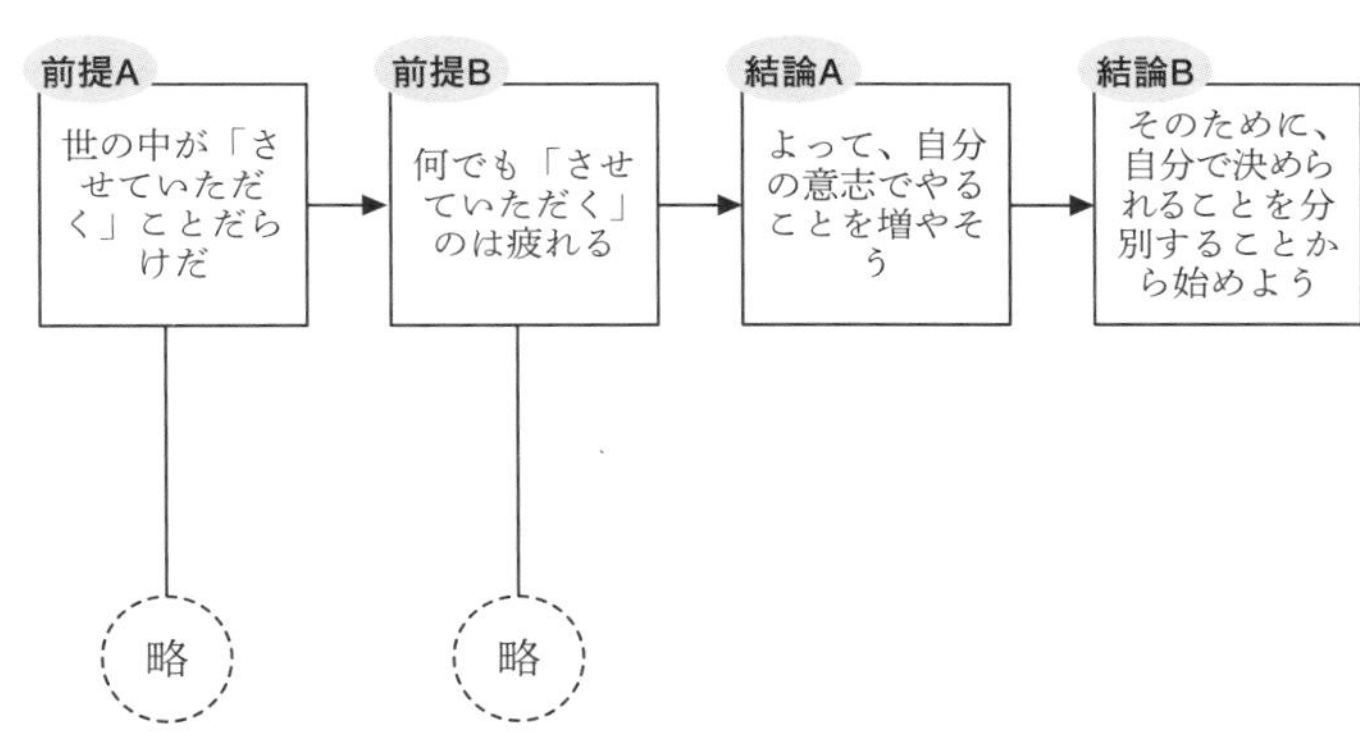

図3.13 「今日のダーリン」のピラミッド構造（途中経過④）

こういう責任の押し付け合いのように感じられて疲れる、ということでしょう。これが2つ目の理由。これをピラミッド構造に書き込みます（図3・12）。これで、※**結論A**までの内容をピラミッド構造に落とし込むことができました。

それでは続きを読んでいきましょう。続きを読むとすぐに、※**結論B**の行に、やるべきことが書かれていることに気づきます。自分の意志でやることを増やすには、じぶんで「こうする」と決めても大丈夫なことを分別することからはじめよう、と言っています。こういう**やるべきことは、読者に行動を促しているわけなので、筆者の大事な結論であることが多いです。結論A**「自分の意志でやることを増やそう」と述べ、そのためには、**結論B**「自分で決められることの分別から始めよう」と述べており、一連の流れになっています。ですので、**結論A**からさらに「直線的な論理」が続いていることになります。よって、ピラミッド構造では、**結論A**の右隣に**結論B**を書きます（図3・13）。

結論B「自分で決められることとの分別から始めよう」を支える理由はないかなと探しながら読み進めると、次々と理由が述べられていることがわかります。**※結論Bの理由1**の行に、「そんなに『こうする』とがんばるつもりもない」とあり、何でもかんでも自分で決める我の強さはないから、自分で決められることを分別しようと述べられています。

また、**※結論Bの理由2**の行では、「『だれかに迷惑がかからない』のなら、じぶんで決めての『こうする』ができるようだ」と述べられています。つまり、自分で決めても誰にも迷惑がかからないと気づくために、自分で決められることを分別してみようということです。

さらに、**※結論Bの理由3**の行では、「想像していた以上に、じぶんで決められることは多い」と述べられています。自分で決められることは意外と多いと気づけるから、自分で決められることを分別してみようということです。ここまでをピラミッド構造にしたものが次ページの図3・14です。

そして、最後まで読み進めると、最後の行に、「『じぶんで判断すること』はめんどうだけど、守りたいこと」とあり、全体の主張をまとめてくれているのがわかります。

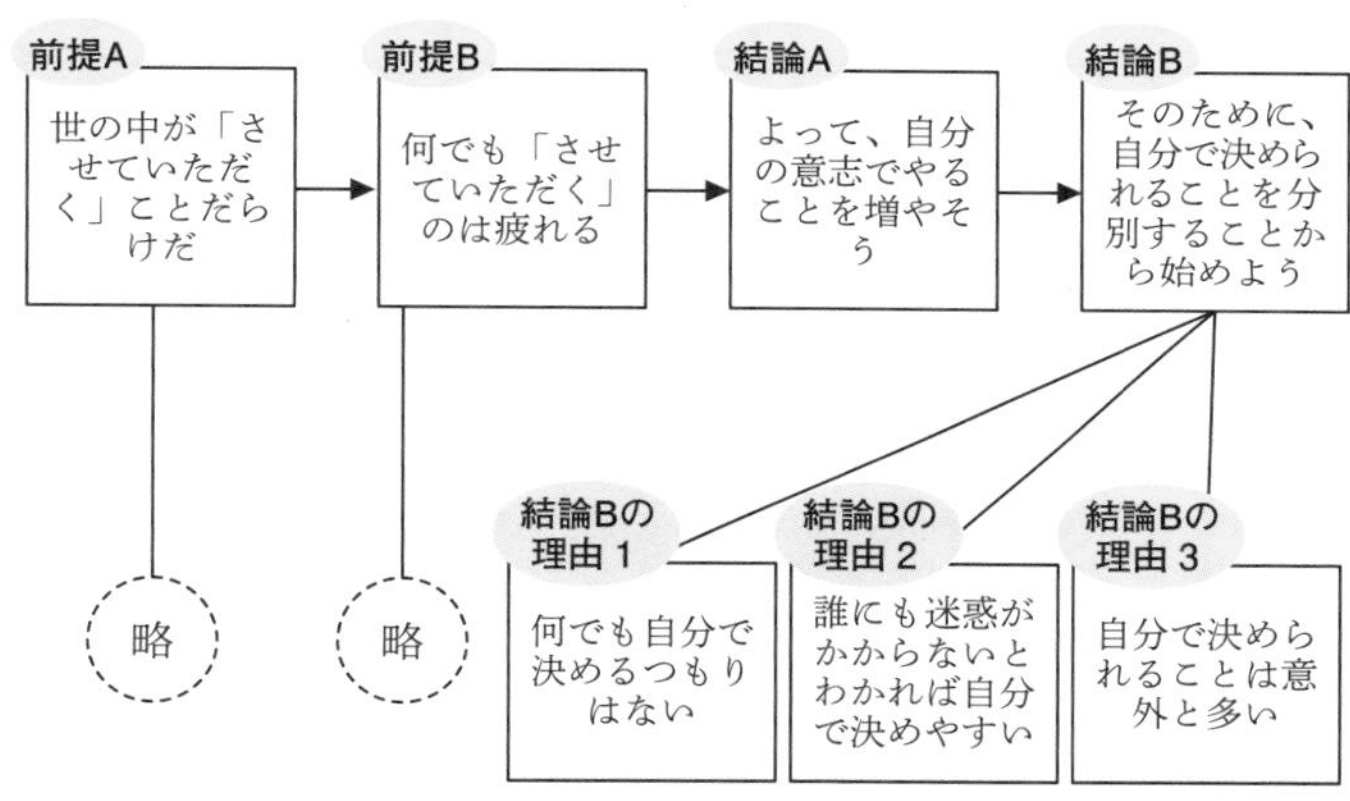

図3.14　今日のダーリンのピラミッド構造（途中経過⑤）

ここまでの内容をまとめると次のようになります。世の中が「させていただく」ことだらけで、何でも「させていただく」のは疲れるから、自分の意志でやることを増やそう。そのために、自分で決められることを分別することから始めよう、ということです（ピラミッド構造の2段目をつなげて文にしただけです）。筆者はこの内容を非常に短くまとめて、『『じぶんで判断すること』はめんどうだけど、守りたい」と表現しています。「直線的な論理」では、全体のまとめを主張として上部に書くので、この内容を最上段に書きましょう。これでピラミッド構造が完成しました（図3・15）。

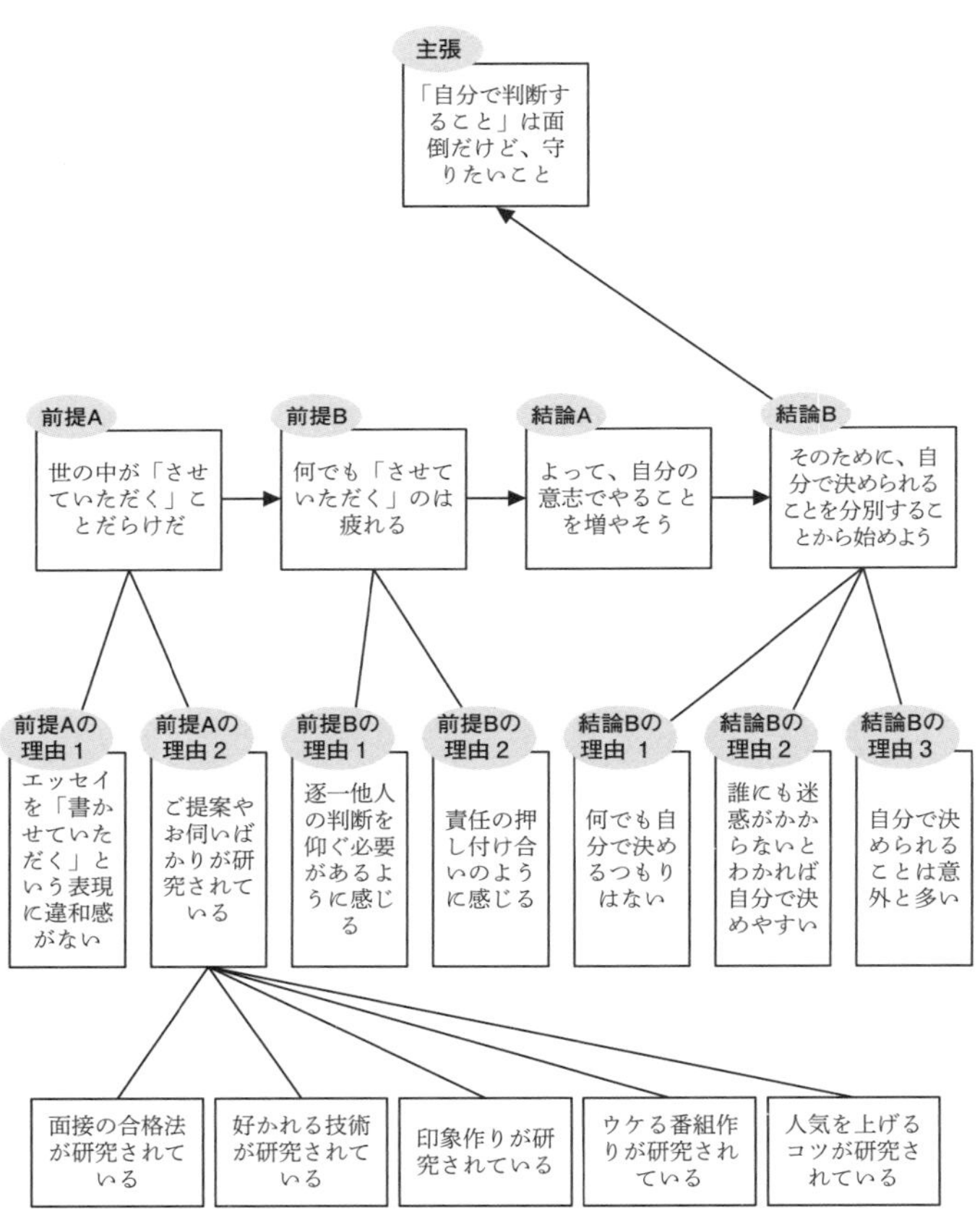

図3.15　「今日のダーリン」のピラミッド構造（完成）

◆試験では、線引きで大まかな流れをつかもう

さて、ここまで練習して「結構大変だな」と思った方が多いのではないでしょうか。でも安心してください。最初は時間がかかりますが、何回も練習して慣れてくると、紙に書かずとも、頭の中で整理しながら読めるようになります。

実際、テストでは時間制限があるため、紙に構造を書きながら読んだりはしません。完全なピラミッド構造を作ることもしません。**ピラミッド構造の最上段の主張のまとめと、2段目の前提や結論に当たる部分は、文章中に線を引いて確認します。**

3段目以下の内容については、文章を読んでいて、瞬時にわかるところのみ線を引いておき、見返したときに思い出せるようにしておきます。もちろん、重要な文を読み落としてしまうこともありますが、気にしなくて良いです。2段目さえきちんと抑えられていれば、3段目以下の内容は、問題で聞かれた場合のみ正確に把握すれば事足ります。

テスト中に文章を一読しただけで、完全なピラミッド構造を頭の中に描くことはほぼ不可能でしょう。ですが、少しでもピラミッド構造を作りながら読むことで、かなり内容を整理しながら読むことができます。

◆自分で練習するときは、紙に書く・正解を気にしない・コツコツやる

「ピラミッド読み」を自分で練習するときの注意点がいくつかあります。

1つ目は、**紙に完全な構造を書き出す**ということです。テストでは、紙に構造を書いたりはしないし、不完全な構造しか書けなくて良いと述べましたが、練習中は違います。紙に完全な構造を書き出すようにしましょう。紙に書くことで、自分の整理が弱いところに気づけます。そして、完全な構造を書こうとすることで、細部まで論理的に読めるようになります。試験でも、問題で聞かれた部分については、細部までピラミッド構造を頭の中に描く必要があるので、練習中に完全なピラミッド構造を書けるようにしておきましょう。

2つ目は、**正解の構造をあまり気にしない**ということです。自分で練習するときは、どんなピラミッド構造が正解なのかわかりませんよね。でも、正解はあまり気にしなくて良いです。正解がわからなくても、やる意義はあります。文章の内容を理解できなかったり、頭に残らない人は、主張やその理由を探しながら読むことができていないことが多いです。また、一応それらを確認はしていても、頭の中で関連付けながら読むということができていません。

自分なりでも良いから、頭の中で主張や理由を整理し、関連付けながら読む癖が付けば、問題を解きやすくなります。さらに、自分なりに文章の内容が整理されていれば、解説を読んだとき

に、自分の読み間違いに気づきやすくなります。こうして、少しずつ、自分の論理力、正しく読む力を鍛えていけば良いのです。

3つ目は、**少なくとも週1回程度の頻度で練習しよう**ということです。毎日できる人はもちろん毎日練習すると良いですが、あまり時間が取れない人でも、慣れるまでは最低でも週に1度練習するのが良いと思います。練習するたびに、読んでいるときの頭の使い方が変わってくると思いますが、1週間以上空くと、前回練習したときの細かいことは忘れてしまいそうです。どこで詰まって、どう考えて、どう乗り越えたのか、などなど。どのくらいの期間覚えているかについては個人差が大きいでしょうから、学んだことを積み上げていけるスパンで練習してください。

◆「ピラミッド読み」は仕事上のコミュニケーションでも役立つ

「ピラミッド読み」をすることで、文章の大意をつかんで頭に残すことができるメリットは繰り返しお伝えしてきました。これは文章読解が関わる試験で強力な武器となるはずです。

この項の最後として、「ピラミッド読み」のもう1つの大きな利点をお伝えしたいと思います。仕事をするうえで、何か文章を読んで、その内容について報告したりディスカッションしたりすることがあると思います。そんなときこそ、ぜひ「ピラミッド読み」で文章を読んでから話し合いに臨んでください。時間があれば、頭に描くだけではなく紙に書き出すとなお良いでしょう。

そうすれば、相手に文章の内容を格段に伝えやすくなります。**相手のニーズによって、自在に説明の細かさを変えることができます。**文章の内容を一言で伝える場面では、最上段の主張のみを伝えれば良いですし、相手がもう少し詳しく説明してほしいと言えば、2段目の内容をつなげて伝えれば良いです。そうすると、相手が、「ここのところをもう少し詳しく説明してほしい」と言ってくるかもしれません。そこで3段目より下の内容を説明してあげれば完璧です。

報告書などの業務上の文書を作成するときでも、まず最上段の主張と2段目の内容を述べ、その後、2段目の箱一つ一つについて詳しく説明していくという流れにすると、わかりやすくなることが多いです。

このように、「ピラミッド読み」は試験だけではなく、業務にも役立つので、ぜひ身に付けて存分に活用してください。

POINT

論理的な文章は、直線的な論理と、具体と抽象の論理で成り立っている。その論理構造を頭の中に描きながら読む「ピラミッド読み」をするには、主張と、その理由または前提を探すことが第一歩。「ピラミッド読み」を練習する際は、紙に書く、正解を気にしない、週1回以上の頻度でコツコツと。

文章を書く練習をすることで読解力も上がる

「ピラミッド読み」をするために、ピラミッド構造を書き出す練習を提案しました。ですがピラミッド構造を作るには、当然、各文の意味や、文同士の関係を正しく理解できる必要があります。このためには、接続詞や係り受けに習熟する必要があり、作文が良い練習となります。これらに自信がない方は、ピラミッド構造を書き出す練習と並行して作文練習もしてみてください。

◆読む練習で使った文章に対して、自分の意見を書いてみる

作文練習をするためには、何について書くか、テーマが必要です。短めの文章を読んでその主張に対する意見を書くのが、お手軽だと思います。これについては、ピラミッド構造を書き出す練習で読んだ文章について意見を書くのが一石二鳥です。

読んだ文章の主張に対して、賛成か反対か。はたまたそのどちらでもない新たな考えを出すか。自分の主張と理由を書きましょう。文字数は原稿用紙1枚（400字程度）を目安にするのが良

いでしょう。複数の理由や、その理由の根拠を書き連ねて説得力のある文章にしようと思うと、それぐらいの字数にはなります。とはいえ、あまり内容にこだわる必要はありません。**この作文練習の主目的は接続詞や係り受けへの理解を深めること**であって、良い内容を思いつくことではないからです。文を書く際に、接続詞の前後を良く読んで、正しい接続詞を使えているか吟味してください。また、係り受けへの理解を深めるために、一文書くたびに、頭の中で言葉の順序を入れ替えてみて、より正確に自分の意図が伝わる語順はないか確認してください。

そうして文章を完成させたら、少し時間を置いて読み直してみましょう。大抵、少し意味の通じにくいところが見つかるので、直します。その後、家族、友人などに読んでもらい、すんなり内容が頭に入ってくるか確認してもらってください。何か指摘されたら、素直に受け止め改善しましょう。伝わりやすいかどうかは、書き手よりも読者の判断のほうが正しいのですから。

POINT

接続詞や係り受けへの理解を深めるために、作文の練習は効果的である。ピラミッド構造を書き出す練習で使った文章に対する意見を書くのが一石二鳥で良い。その際、内容はあまり気にせず、日本語的におかしいところはないかを重視して確認しよう。

第4章

勉強は人生を変える コスパ最強の手段

あらゆる人生ステージで勉強が必要な時代

◆大勉強時代がやってきた

昨今のビジネス環境の変化は目覚ましいものがあります。生成AI、クラウドコンピューティング、ブロックチェーンを始めとするIT技術の急激な発達は、革新的な商品やサービスを生み出すと同時に、仕事の進め方もガラリと変えてしまうでしょう。こういう変化の激しい時代では、新技術を使って商品・サービスを作る者と、ただそれを消費するだけの者とで、人材の価値に大きな差がつくことは言うまでもありません。

かつてインターネットが初めて登場してから、コンピュータ産業だけではなく、あらゆる産業が激変し、古い産業が消えていきました。音楽1つとってみても、もうCDなどの物理媒体で聞くことは少なく、Apple MusicやSpotifyなどのストリーミングサービス（ネットから音楽をダウンロードするサービス）で聞くことが多いでしょう。また、スマートフォンが登場し、そのカメラ機能で手軽に写真を撮れるようになると、デジタルカメラの出荷台数は9割以上も縮小しました。

これと同じような産業の再整理が今後も起きると考えられます。**新しい技術を学び、新しい産業に携わっていかなければ、生き残ることは難しくなります。**

必要な勉強はデジタル領域だけではありません。革新的な技術が登場すると、法律が変わり、業務の流れが変わり、組織の運営方法が変わります。新しい技術が次々登場する現代では、勉強すべきことが指数関数的に増加しています。

さらに、少子高齢化により日本市場が急速に収縮する中で、多くの企業は売上を維持・向上させるために、海外市場に打って出る必要があります。大企業だけの話ではありません。中小企業や個人商店のような小さなビジネスでも同じことが言えます。インターネットでモノやサービスを海外に売ることが簡単になったこの時代に、小さな会社であっても、自社の製品を海外で売るチャンスを捨てるのは非常にもったいないことです。しかし、海外向けのビジネスで成功するためには、言語のみならず、進出先の商習慣、市場構造など、ビジネスに関わるあらゆることを猛スピードで勉強し吸収する必要があります。

また、グローバル市場における日本企業の存在感が薄れる中で、ビジネスマンとしてより大きなチャンスを得たいのであれば、海外の巨大企業に転職するという道も大いに狙うべきだと思います。その際、言語や専門資格・スキルを習得していれば有利に働くのは間違いないでしょう。

このように、環境が激変し日本経済が衰退している今、現状維持、向上を願うなら、勉強しなければならないのですが、多くの人は勉強せず、今の延長線上で生き残ることを考えます。だからこそ、**強い意志を持って勉強すれば、希少な人材になることができ、多くのチャンスを得ることができます。**かつて大航海時代に最先端の技術・知識を使って新大陸を発見した航海者達のように、現代は勉強すればするほど新しいチャンスを見つけられる大勉強時代なのです。

◆シニア世代も変化を恐れず勉強すれば豊富な知見を活かせる

勉強をすればチャンスが大きく広がるのは若手世代だけではありません。40代以上のミドル・シニア世代も、これまで培った知見を、勉強によって一層活かせることになります。ミドル・シニアの方々にとって、最先端の技術・未知の分野を勉強し続けるのは大変なことだと思いますが、若手世代のように深く知る必要はありません。**さまざまな分野のディスカッションに参加し、理解できるように、広く浅く勉強するのが良い**と思います。

新しい技術だけでは革新的な商品やサービスというのは生まれません。既存の製品や顧客への深い理解があって初めて、新しい技術で解決できる課題と解決策が見えてきます。**新旧の知見・知識の融合が必要**なのです。ミドル・シニア層の深い知見がどの新技術とうまく融合できるかは、新技術の専門家と話し合ってみないとわかりません。そのため、そんな専門家とコミュニケーションを取れる程度の知識を幅広い分野で身に付けておくと、ご自身の知見を活かせるチャンスが格段に広がるでしょう。

定年も徐々に延長され、労働期間は長くなるばかりです。労働力不足、社会保障費の増大を考えると、この傾向は今後数十年続くと考えられます。ぜひ勉強して、豊富な知見を武器に、ビジネスパーソンとしてこれからも活躍していただきたいと思います。

POINT

IT技術の急激な発達により、あらゆる産業が激変するだろう。これをチャンスにできるか、沈んでいくかは、勉強によって必要なスキルをどんどん身に付けていけるかにかかっている。若手世代だけではなく、ミドル・シニア世代も勉強することで活躍の場が格段に広がる。

勉強だけが確実に人生を変えてくれる

ここまでモチベーションの維持方法や、具体的な勉強法を説明してきました。皆さんがそれらを参考に勉強を進めていくとき、ときにはくじけそうになることもあると思います。そんなときのために、「勉強だけが確実に人生を変えてくれる」「勉強し続けていれば絶対に実を結ぶ」ということを知っておいてほしいと思います。

◆勉強は自分だけで完結する

多くの人にとって、人生を望む方向に変える手段というのは、もちろん勉強だけではありません。仕事を頑張る、人脈を作るなど、色々な方法があると思います。でもその中で、自分が頑張れば必ず成果が出るということはほとんどありません。例えば、仕事を頑張っても、成果が出るかどうかは運の影響も大きいです。自分の責任をまっとうしたつもりでも、それを評価する者が他人である限り、良い評価をもらえないこともありえます。また、仕事はチームで進めることが多いので、自分が仕事を完璧にこなしても、同僚が失敗すると成果が出ないこともあります。

それに比べて**勉強は、他人の影響が極めて小さい**です。自分さえ頑張れば学力は上がります。学力が基準に到達すれば合格できます。確かに、試験は他人との競争なので、受験者が優秀な人ばかりだと、合格の可能性は低くなりますが、例年より試験の難易度が急変するということはまれです。必要な学力はある程度決まっており、自分の学力がそれより十分高ければほぼ合格するのが現実です。目標が試験ではなく、勉強で何かスキルを身に付けることであれば、スキルを身に付けられるかは完全に自分の頑張り次第です。

◆勉強はやればやるだけ積み上がる

さらに、勉強はきちんとやればやるだけ身に付きます。勉強間隔を空けすぎると、以前やったことを完全に忘れてしまって、無駄になることもありますが、それは自分の忘却曲線を意識してスケジュールを立てることで防げます。やればやるだけ力が付くことは、実はそんなに多くありません。スポーツはやりすぎるとオーバーワークで逆効果になります。人間関係を良くしたいと思っても、相手にアプローチすればするほど好かれるわけでもありません。一方、**勉強は1日10時間でも15時間でも、やればやるだけ身に付きます。**

やれば確実に身に付くだけではなく、**身に付けられる量に上限がない**ことも強調したいことです。英語のほかに中国語を身に付ける。フランス語を身に付ける。勉強すれば可能です。さらに、プログラミングの知識を身に付けたり、会計の知識を身に付けたりすることもできます。身に付けられるスキルの数に上限はありません。ライバルより1つ2つ多くのスキルを身に付けるだけで、圧倒的差別化につながり、自分の価値を一気に高められます。これほど努力が如実に成果に結び付く行為は、勉強以外に考えられません。

✦一年で人生は変わる

これまで勉強してきても思うような成果を出せなかった方は、自分の能力不足なのではなく、勉強法が良くなかったのです。自分には能力がないんだと思い込み、やりたいことや、より豊かな生活を諦めてしまうのはもったいないことです。この本でお伝えした方法を参考に、自分の勉強法を改善し、再度挑戦してみてください。

結果は意外と早く出ます。一年も必死で勉強すれば、大抵のスキルは身に付きますし、大抵の試験にも合格できます。もちろん、一部の難関試験は一年では厳しいものもありますが、それでも一年頑張れば、かなり合格が現実味を帯びて見えてきます。

新しいスキルや資格を身に付けた自分、いや、ただ一年間必死に頑張って力が付いた自分になるだけで、その後の人生が大きく変わります。勉強すればできるんだという自信のもと、いろんなことにチャレンジしやすくなるはずです。そんな未来の自分を思い描いて、日々の地味な勉強を進める糧にしてほしいと思います。

◆ 適性に合った分野で輝こう

勉強法は改善したし、必死で頑張っているのにうまくいかないと感じるときは、取り組む分野を変えてみるのは大いにアリだと思います。今取り組んでいる分野から逃げたら、次の分野でもうまくいかないなんて思うかもしれませんが、僕としてはまったくそんなことはないと思います。魚は陸ではピチピチ飛び跳ねることしかできませんが、水に入れば素早く泳ぐことができます。**環境や分野の影響は非常に大きい**のです。

勉強は幸いなことに、数えきれないほどの分野があります。だからあなたに合う分野が必ずあるはずです。必死で頑張ってみても、なかなか思うような成果を上げられなかったり、好きになれなかったりする場合は、別の分野に挑戦してみてください。

僕は大学入学までの勉強人生で、勉強はかなりできるようになりましたが、大学で研究活動を始めると、実験に適性がなく、全然成果を上げることはできませんでした。一見勉強ができると研究もできそうなものですが、求められる能力は少し変わるので、それだけで成果が出なくなることもあります。

そんな風に、**一生懸命頑張ってみてもうまくいかないのであれば、自分に絶望するのではなく、果敢に別の道に挑戦してほしいと思います。**今まで何をやってもうまくいかなかったという方も、別の道に進めば新しい自分に出会える可能性があります。僕は家庭教師やプログラミングを始めて、人に何かを教えるのが好きな自分、多くの人に使われるサービスを作るのが好きな自分に出会えました。少しでもやってみたいと思うことがあれば、恐れず、勉強して、ぜひその道の一歩を踏み出してください。勉強を続ける限りいくらでも新しい道を作れることが、現代人に与えられた幸福だと思います。

POINT

勉強は自分が頑張れば頑張るだけ、確実に上限なく力が付く。勉強を頑張って続ければ一年後には今とはまったく違う自分になれる。思うようにいかなければ別の分野に進むのも大いにアリ。勉強を続ける限り、あなたの可能性はいくらでも広がっていく。

著者略歴

横井　佑丞（よこい　ゆうすけ）

1986年生まれ。研究者を志し、東京大学工学部を卒業後、東京大学大学院新領域創成科学研究科に入学するも、自分の適性は研究以外の道にあると気付き中退。その後、東京大学公共政策大学院に入学。卒業後、デロイト トーマツ コンサルティング合同会社に勤務。起業を機に退職し、現在は株式会社MidFree代表取締役社長。生まれつきの記憶力の弱さを克服するなかで磨かれた勉強法は、着実に成績をアップさせるとして人気を集めている。通学時間・入試内容・進学実績で検索できる中高一貫校検索サイト「スクマ!」などをリリース中。

X（旧ツイッター）　https://twitter.com/yokkoGT
ブログ「家庭教師の雑感」　https://www.yokokate.com

脳内メモリ最弱の僕が東大合格した人生が変わる勉強法

2023年12月10日　初版第1刷発行
2024年 2 月 5 日　初版第2刷発行

著　者　横井佑丞@yokko
発行者　淺井　亨
発行所　株式会社　実務教育出版
〒163-8671　東京都新宿区新宿1-1-12
TEL 編集03-3355-1812　販売 03-3355-1951
振替　00160-0-78270

装　丁　西垂水敦・内田裕乃（krran）
DTP　明昌堂
印　刷　壮光舎印刷
製　本　東京美術紙工

ISBN 978-4-7889-0313-5 C0095　Printed in Japan